열일

파공기사

열일하는 과금 기사 2

초판 1쇄 발행 2021년 11월 29일

지은이 | 박건
발행인 | 신현호
편집장 | 이호준
편집 | 송영규 최종건 정재웅 양동훈 곽원호 조정범 강준석 최성화
편집디자인 | 한방울
영업 · 관리 | 김민원 조인희

펴낸곳 | ㈜ 디앤씨미디어
등록 | 2002년 4월 25일 제20-260호
주소 | 서울시 구로구 디지털로 26길 111 JnK디지털타워 503호
전화 | 02-333-2513(대표)
팩시밀리 | 02-333-2514
E-mail | papy_dnc@dncmedia.co.kr
블로그 | blog.naver.com/gnpdl7

값 8,000원

ISBN 979-11-364-2825-7 04810
ISBN 979-11-364-2823-3 (SET)

박건 판타지 장편소설
Papyrus Fantasy Story
열일하는
마구기사
PAPYRUS
파피루스

chapter1.
노동과 댓가

chapter1.
노동과 댓가

일과는 꽤 빡빡하다.

오전 3시부터 9시까지 편의점 알바를 한 뒤 공장으로 출근한다. 기가스 제조로 이름 높은 [환웅 컴퍼니]의 하청 업체, [웅녀 철강]이다.

'이름 진짜.'

어쨌든 공장에서 비교적 단순하고 힘쓰는 업무를 오후 7시 30분까지 한다. 보통 5시 정도에 퇴근인데 나는 추가금을 받기로 약속하고 작업장 청소를 맡아서 월급을 늘렸다.

그리고 오후 8시, 나는 세 번째 일터로 출근했다.

"여~ 네가 새로 온 기도냐?"

"한재연이라고 합니다."

"그래그래. 군대 전역자 출신이면 틀림없겠지. 하지만

어리바리 타면 바로 아웃인 거 알지? 여기는 수당이 무조건 일당이고 돈도 일 끝날 때 준다. 중간에 도망가면 개털도 없는 거야."

"물론입니다."

나는 강남에 위치한 중형 클럽. [스타 게이트]에서 준 유니폼을 입고 일을 시작했다.

기도. 혹은 바운서(Bouncer)라 불리는, 일종의 문지기였다. 술집이나 도박장 같은 유흥업소의 사설 경비원.

'전역증 하등 쓸모없을 줄 알았는데 이렇게 쓰네.'

유사시 폭력을 휘두를 수도 있는 일이기에 확실한 신원과 무력에 대한 기대치가 있는 직업이다.

본래 입문 능력자라 알려져 있는 내가 감히 넘볼 수 없는 일자리이지만 전역증이 있으니 문제없이 시작할 수 있었다. 유흥업소에서 기업들처럼 정보 공개 요청할 것도 아니었으니까.

'뭐, 그래 봐야 수습 기간이고 미심쩍다 싶으면 언제든 잘리겠지만.'

일을 시작했다지만 혼자 하는 게 아니라 사수가 옆에 붙어 있다. 인수인계가 충분히 이뤄지고 나 혼자서도 바운서 역할을 수행할 수 있다고 판단되어야 사수가 일을 그만둘 수 있게 되는 시스템이다. 즉 이 모든 과정은 선임이 후임자을 구하는 과정이라고 할 수 있다.

“오, 이번 후임은 기세가 아주 좋은데? 역시 전역자 출신이 다르긴 다르네.”

선임의 이름은 알 룬드그랜. 이름만 봐도 알겠지만 외국 출신인 그는 하얗게 빗어 넘긴 머리칼이 인상적인 노인이다.

‘와. 뭐 이렇게 늙어 보여? 술 취해도 이 얼굴을 보면 행패를 부릴 수가 없겠다.’

당연한 일이다. 행패를 부렸는데 혹시나 그가 심심해서 알바를 하는 어르신이면 제대로 야단이 나기 때문이다.

‘하지만 아니야.’

서 있는 자세나 보폭. 호흡 등으로 보아 어르신이라기엔 많이 모자라다. 사용 이능은 내공, 수준은 대략 숙련자에서 전문가 수준.

호흡을 보아하니 익힌 무공은 사파의 것으로 짐작되는데 아마 그 부작용으로 노안이 온 것 같았다. 아니면 다른 행성에서 정착한 이민자이던가.

‘대충…… 함롬 정도 되어 보이네.’

나는 얼마 전에 쓰러트렸던 오크 투사를 떠올렸다. 직감이 둘의 전투력이 비슷하다는 사실을 알려 줬다. 어쩌면 그 역시 경기공의 수련자일지 모른다.

“그래. 수고했네.”

“수고하셨습니다.”

별문제 없이 업무를 교대한 시간은 오전 2시. 모든 작업을 마무리하고 클럽을 나선 시간은 2시 30분.

나는 바로 편의점으로 이동했다. 애초에 동선을 계산하고 일자리를 구했던 만큼 클럽과 편의점의 거리는 가까운 편이다.

“어? 왜 이렇게 빨리 오셨어요?”

“전 일이 일찍 끝나서. 대충 정리하고 나와.”

“고마워요, 오빠! 아싸!”

전 타임을 떠나 보내고 카운터에 자리한다. 편의점 알바를 시작하고 딱 24시간만의 일.

‘일과가 한 바퀴 돌았다.’

편의점 업무 6시간. 공장에서 10시간. 클럽에서 6시간 30분. 그리고 중간중간 자투리 시간이 1시간 30분 정도.

‘이것이 내가 앞으로 해 나가야 할 매일매일.’

누군가 이 모습을 봤다면 ‘수면 시간이 없잖아 미친놈아!’하고 기겁하겠지만 적어도 나와는 상관없는 일이다.

‘로그인.’

아르데니아로 들어가 잠을 자면 그만이었으니까.

심지어 충분히 잔 후 일어나 하루 종일 오토를 돌려 얻어 낸 멧돼지 고기로 영지민들을 먹이고 새로 뽑은 병사들을 특기에 따라 분류하고 훈련도 시켰다.

나는 아르데니아에서 고기와 장비들만 뿌리며 계속 잠

을 잤다. 그동안 영지민들과 병사들은 잘 먹고 잘 잤으며 피난민들을 받아들이며 덩치를 점점 키워 나갔다.

종종 몰려 온 고블린들은 이미 진지를 끼고 싸우는 영지민들의 탄탄한 방어에 무수한 피해만 입고 물러날 수밖에 없었다.

나름대로 전략전술을 아는 고블린들은 멀찍이에서 포위진을 짜고 물자가 바닥나길 기다렸으나…….

당연하게도 바닥나지 않는다. 리벤지의 캐릭터들이 사냥을 계속하는 한, 멧돼지 뒷다리는 영원히 끊기지 않을 것이다.

로그인 한다.

로그아웃 한다.

아르데니아에서 나흘, 현실에서는 일주일의 시간이 흘렀다.

나는 멧돼지 고기가 쌓이기 시작하는 것을 확인한 후 레벨이 가장 낮던 킬리언스포부터 사냥터를 옮겼다.

사냥터를 옮긴 기준은 다음과 같았다.

1. 고급 등급의 아이템이 떨어질 것.

2. 다른 플레이어들이 [버리는] 아이템이 많을 것.

3. 버려지는 아이템이 쓸모 있을 것.

그 결과 내가 자리 잡게 된 장소는.

"허허. 결국 여기라니."

킬리언스 산맥이었다.

[발칸 오크 돌격병(고급) 드랍 아이템.]

일반 클래스 소환권(등급 없음). 오크 돌격병의 도끼(고급). 배틀 크라이 비전서(고급).

힐링 포션(일반). 강철 흉갑(일반). 강철 부츠(일반).

하품 철괴(재료) 오크족 인장(상점 판매). 골드.

발칸 오크는 꽤 여러 종류의 클래스를 가지고 있다. 발칸 오크 전사. 발칸 오크 정찰병. 발칸 오크 돌격병. 발칸 오크 주술사. 발칸 오크 사냥꾼 등등.

나는 그중에서 오크 돌격병을 낙점했다.

"우글우글하네."

편의점에 손님이 없는 틈을 타 킬리언스포를 조작했다. 사냥터에 수백 마리의 오크들이 서 있고 그에 맞서 열댓 명의 플레이어들이 오크들을 족치고 있다.

나는 사냥터 중에서도 사람들이 가장 밀집된 곳을 골랐다. 비집고 들어갔기에 사냥 효율은 좀 떨어졌지만, 대신 다른 효율이 있다.

강철 흉갑(일반)을 획득했습니다!

강철 부츠(일반)를 획득했습니다!

강철 흉갑(일반)을……

사방에 떨어진 흉갑과 부츠들을 마구 줍는다. 뭐라고 하는 사람은 아무도 없다.

이들이 여기에서 자동 사냥을 돌리는 이유는 하품 철괴를 줍기 위함이며, 강철 흉갑과 부츠는 그냥 무거운 잡템에 불과하기 때문이다.

가치는 별로 없는데 중갑이라 무게만 엄청난, 문자 그대로 쓰레기!

'그러니까 줍지 않도록 설정했겠지.'

[인벤토리 중량이 100%를 초과했습니다!]

[인벤토리 중량이 100%를 초과하여 이동 속도가 극도로 느려지고 체력, 생명력, 마나가 천천히 감소합니다!]

인벤토리가 터져 나가도록 챙긴 뒤 아르데니아인으로 넘어가 전열에 서는 이들에게 중갑을 걸치게 만들었다.

그뿐이 아니다.

나는 강철 흉갑 중 일부를 분해하여 가죽 방패에 철판을 덧대라고 지시했다.

'시스템상으로는 하등 쓸모없는 짓이지.'

가죽 방패에 철판을 박아 넣었지만 가죽 방패의 상태창에는 아무런 변화가 없다. 방어력이 늘어나지도 않고 표시된 중량이 변하지도 않았다.

그러나 물리 세계에서는 다르다.

까앙!

"튼튼하군요."

"철판을 저렇게 많이 덧댔는데 당연히 튼튼해야지."

"대신 너무 무겁습니다. 애송이 녀석들 중에서는 들고 서 있지도 못하는 놈들도 많더군요."

"그래도 들고 훈련하게 해. 클래스를 얻게 되면 저걸 들고 싸울 수도 있을 테니까."

잠시 훈련 중인 병사들을 지켜보다 고개를 끄덕인다.

"뭐, 훈련 잘 부탁하고. 난 자러 간다."

"요즘 많이 주무시는군요."

"중요한 시기라. 잘 부탁해."

"최선을 다하겠습니다."

로그인 한다.

로그아웃 한다.

로그인 한다.

……로그아웃 한다.

킬리언스쓰리가 사냥터를 옮겼다. 킬리언스투도, 마침내 킬리언스마저 사냥터를 옮겼다.

레벨이 낮은 순으로 사냥터를 옮겼던 만큼 어느새 네 캐릭터 모두 38레벨을 달성해 있었다.

"와, 레벨 미친 듯 안 오른다."

어느 순간 거의 레벨링이 멈춘 것이나 다름없는 상황이 되었다. 하루 종일 오크들을 때려잡아도 경험치가 10% 오르는 정도.

그러나 상관없다.

성장이라곤 없는 리벤지의 캐릭터들과 다르게 영지민들과 병사들은 하루가 다르게 정예병으로 거듭나고 있었기 때문이다.

로그인 한다.

로그아웃 한다.

나는 모든 업무 중 가장 개인 시간이 보장되는 편의점 알바 때마다 상황을 정리했다.

'편의점 알바비가…… 야간인 덕에 좀 붙어서 220만 원. 그리고 공장일은 추가분까지 쳐서 380만 원.'

사실 여기까지만 해도 적지 않은 돈이다. 한 달에 600만 원이라니. 살면서 이렇게 벌어 본 적이 없다.

'그리고 거기에…… 클럽 기도가 일당 13만 원. 심지어 수습 기간이 끝나면 더 오른다고 했지.'

나는 단 하루의 휴일도 없이 모두 일정으로 잡았으니 기도 일로만 한 달에 390만 원이었다.

즉.

'와. 한 달에 990만 원이라고?'

월 1,000만 원이라니 꿈에서나 생각하던 수익!

그러나 잘 생각해 보면 이상한 일은 아니다.

'한 달에 쉬는 날이 단 하루도 없고…… 무엇보다 수면 시간이 없이 24시간 동안 일만 하니까.'

바짝 번다 바짝 번다 많이들 말하지만 아무리 그래도 이건 인간이 할 짓이 아니다.

아르데니아인에서 잘 시간을 벌 수 있는 내게도 절대 만만치 않던 일정.

그러나.

"수고하셨습니다!"

"작업 끝! 크! 한 씨는 성실해서 좋아. 불안했는데 혼자서 청소도 깔끔하게 하고."

"훌륭하군. 참을성도 좋고 사람을 다루는 데에도 익숙하고. 내가 이런 말을 하면 웃기게 들리겠지만…… 고작 이런 곳에서 주정뱅이들이나 상대할 사람이 아닌 것 같군."

지구에서의 노동이.

생각보다 재미있다.

‘노동이라는 게…… 이렇게 힐링 되는 일이었나?’

육체가 강건하니 육체 노동이 수월하고 감정 노동도 별 문제 없다.

사람을 상대하는 일?

부하가 자신의 그림자를 밟았다고 다리를 잘라 벽에 장식으로 달아 두는 미친 귀족새끼를 어르고 달래서, 수틀리면 협박까지 해서 의뢰금을 받아 내야 했던 용병대장 때를 생각하면 ~~고웃음~~ 나오는 난이도다.

‘직장을 구하지 못해 자괴감에 몸부림치던 과거가 거짓말 같을 정도네.’

처음에는 100장을 뽑았던 클래스 카드로 일부 병사에게 직업을 부여한 뒤 군대를 움직일 생각이었다. 200만 원의 과금만으로도, 그것은 충분히 가능한 일이었으니까.

그러나…… 일을 하게 되며 계획이 점점 수정된다.

생각보다 돈을 벌 만하다.

생각보다…… 일을 하는 게 보람찼다.

“한 달 동안 수고했어. 요새 야간 구하기 힘든데 쉬는 날도 없이 잘해 줘서 고마워. 다음 달도 잘 부탁한다는 뜻에서 좀 더 넣었다.”

“요즘 어린 것들 정신머리가 빠져 가지고 빽하면 도망치는데 잘해 줘서 고마워요. 다음 달도 잘 부탁해요.”

“벌써 한 달이군. 자네가 생각보다 고객들을 잘 다루니 이젠 혼자서도 잘할 것 같아. 이제 수습 딱지도 떼었으니 일당은 20만 원이 될 거야.”

뜨겁게 유난을 떨던 태양이 기세를 잃어간다.

어느새 시월.

“하하.”

카운터에 서서 웃는다.

일하는 게 보람차다. 뭔가 문제가 생기거나 난관을 마주했을 때 그것을 잘 이겨 내고 사람들의 시선을 받는 것이 즐거웠다.

그러나 이러니저러니 해도 노동의 보람이 정점을 찍을 때는.

바로 월급을 받을 때이다.

자유저축 예탁금(G-뱅크 1173-5511)

11,573,988원.

“크.”

참지 못하고 또 웃고 말았다.

그렇다. 일을 시작한 지 어느새 한 달.

천만 원이 넘는 군자금이 마련됐다.

병사들이 도열해 있다.

천여 명이었던 영지민의 숫자는 상당수의 사상자가 발생한 전쟁 이후에도 늘어나 최종적으로 1천 700명이 되었다. 그중 전투에 참여할 수 없는 여성, 그리고 노약자의 숫자가 오백을 약간 넘고 나머지는 10대 후반에서 50대 초반까지의 남성이다.

'가뜩이나 기울어져 있던 성비가 아예 미쳐 버린 수준으로 기울었군. 여자 한 명에 남자 네 명인 수준이다.'

우리 영지야, 산적부터 시작해 용병단, 영지 테크를 다 원래 성비가 좀 기울어 있었지만 레드 엑스 영지는 왜 이 지경이란 말인가?

그 이유는 피난민들에게서 들을 수 있었다.

-으앙! 그 괴물 놈들이 우리 엄마를 잡아갔어요!

-내, 내 딸이…… 크흑!'

특이하게도 고블린 놈들이 여성을 죽이지 않고 납치한다는 이야기를 들었다. 뒤늦게 확인해 보니 그것은 우리 영지에서도 마찬가지로 벌어진 일이다. 남자는 이유 불문하고 쳐 죽이는 오크 놈들이 여성은 죽이지 않고 납치했다고 한다.

'아, 느낌이 쎄한데.'

그렇게 생각하면서도 스틸스톤에게 물었다.

"병사의 숫자는?"

"신병을 포함해 981명입니다."

"정예병은?"

"최종적으로 314명이 시험을 합격했습니다."

거의 3분의 1에 가까운 숫자. 다른 영지에서는 감히 꿈도 꾸지 못할 비율이다. 심지어 우리 영지가 신체적, 정신적 능력을 더욱 빡세게 본다는 것을 생각하면 거의 백작급 영지나 가질 법한 무력이었다.

"병종은?"

"방패병이 58명. 검방병이 55명. 창병이 161명. 그리고 궁병 40명입니다."

방패병은 가죽 방패(일반) 세 개를 모아 크기를 키운 뒤 거기에 철판을 박아 만든 대형 방패를 든, 그야말로 걸어 다니는 성벽이다.

병사들 중에서도 특별히 덩치가 크고 체중이 나가는 녀석들을 뽑아 구성했는데 강철 흉갑과 강철 부츠까지 장비하고 그 위에 머리까지 덮는 가죽 코트를 둘러 빈틈이 거의 없는 녀석들이다.

워낙 걸친 게 많아 움직임이 굼뜨고 공격 능력이 없다시피 하지만 방어력만은 타의 추종을 불허할 정도.

검방병은 가죽 방패(일반)과 뼈 장검(일반)으로 무장한 녀석들이다. 강철 흉갑과 강철 부츠를 장비했지만 상대적으로 무장이 가벼워 공격력과 방어력이 조화로워 공격도, 방어도, 단독 전투도 가능한 녀석들.

창병은 2.5미터가 넘는 장창으로 무장한 병종이다. 방패병이나 검방병이 되기에는 덩치나 검술이 부족한 이들이지만, 이들 역시 정예병 시험을 통과한 녀석들이기에 예사롭지 않은 전투 능력을 가지고 있다.

궁병은 궁술 시험을 통과한 녀석들로 구성한 병종이다. 아직은 활도 숏보우뿐이고 궁술의 숙련도도 아직 부족하지만, 원거리 공격은 반드시 필요하기에 육성하고 있다.

'뭐, 지금 이대로는 다 반쪽짜리지만.'

가죽 방패에 가죽을 덧대고 철판까지 박은 대형 방패는 너무 무거워서 덩치가 큰 녀석들로 가려 뽑은 방패병들도 100미터만 전진해도 땀을 비 오듯이 흘린다. 훈련이야 어떻게든 한다지만 이 상태로 실전을 한다는 건 그야말로 미친 짓.

검방병도 강철 흉갑과 강철 부츠의 무게를 부담스러워하는 상황이니 이대로 전쟁을 벌였다가는 동급의 적에게도 고전을 면치 못할 것이다.

물론.

당연히 이대로 전쟁할 생각은 없다.

"좋아."

나는 도열한 병사들에게 다가갔다. 그들 중 맨 앞에 있는 병사는 내게도 눈에 익은 녀석이다.

"소드맨."

"충! 영주님을 뵙습니다."

소드맨은 탈영병 출신으로 내가 막 산적 두목이었던 시절 내 밑으로 들어온 녀석이다.

'부하 대부분이 화전민이었을 때 선물 같이 나타났었지.'

소드맨은 이후 산적-〉 용병-〉 병사로 전직하며 부하들을 지휘해 왔다.

녀석은 서글서글한 성격으로 부하들도 잘 통솔하고 이름답게 검도 잘 썼다. 짬도 그렇고 나이도 그렇고 여러모로 스틸스톤과 비슷한 녀석.

'다만 재능이 모자라다.'

내가 외우고 있던 심법들을 아무리 가르쳐도 그는 오러를 깨우치지 못했다. 사실 그걸로 그를 '재능이 모자란' 인간이라고 말하는 건 너무도 잔인한 일이리라.

'그냥 평범한 거니까.'

마나의 재능을 타고나는 인간은 귀하고 귀하다. 지구처럼 [강제 각성]을 시킬 설비가 있는 게 아닌 이상 아무리 노력해도 이능의 영역에 들어설 수 없는 게 정상이다.

'여러모로 스틸스톤의 하위 호환 같은 녀석이지. 한계가 명확했지만…… 이제는 다를 것이다.'

그 증거가 바로 나다. 녀석이 아무리 재능이 없더라도 [폐급 마나 적성]을 가진 나보다 없을 리는 없다.

클래스 카드의 보정으로 마나와 마나력이 증가한다면 오러를 깨우칠지도 모르고, 그게 아니더라도 스킬의 힘으로 영능의 영역을 넘볼 수 있을 것이다.

"지금 이 시간부로 너를 늑대 연대(Regiment)의 최고 선임 병사이자 천인장으로 임명한다. 너에게 희귀 클래스 하이랜더(Highland)와 배틀 크라이 비전서. 그리고 투사의 양손검을 하사하니 언제나 물러서지 않는 투지로 자신의 사명을 다 하라."

그렇게 말하며 한 장의 카드와 책을 녀석에게 건네주었다. 녀석이 그것을 받아 드는 순간.

번쩍!

희귀 등급을 뜻하는 푸른색이 터져 나오자 도열해 있던 모든 병사들이 동경과 부러움이 가득한 눈으로 그 모습을 바라보았다.

지난 보름의 시간 동안 클래스에 대한 정보를 충분히 풀었다. 심지어 이미 직업을 가지고 레벨 업을 경험한 이들도 있었기에 병사들이 정예병에 들어가기 위해 이를 악물고 훈련을 했던 것이다.

번쩍!

이번에는 녹색의 빛이 터진다. 전사 공용 스킬. 배틀

크라이(고급)(액티브)를 습득한 것이다.

[배틀 크라이(고급)(액티브)]

전투 함성을 내질러 정신과 육체 능력을 고양시킨다. 최대 마나의 10%를 소모하여 소모한 마나만큼의 근력, 체력, 생명력 스텟을 상승시킨다.

공용 스킬이지만 그리 인기 있는 스킬북은 아니다. 몇 가지 하자가 존재해 얻으면 바로 갈아 버리는, 흔히 [분해용 스킬북]이라 불리는 물건.

최대 마나의 10%를 소모하여 그 수치만큼 스텟 증가.

즉 마나가 많을수록 스킬의 위력이 높아진다는 것인데 문제는 이것이 [전체 공용] 스킬이 아니라 [전사 공용] 스킬이라는 것이다.

'이걸 술사가 쓸 수 있으면 적어도 영웅 등급이었겠지. 한순간 스텟을 뻥튀기해서 근접 전투까지 할 수 있을 테니까.'

그러나 전사 계열은 근력, 민첩, 체력, 생명력에 투자하기에도 스텟 포인트가 모자라기에 마나와 마나력이 높지 않다. 즉, 효율이 떨어진다는 말.

뿐인가? 자가 버프 스킬은 대체로 중첩이 안 되기 때문에 상위 스킬을 얻으면 이렇게 애매한 스킬은 바로 버려질 수밖에 없다.

'하지만…… 스킬이 하나도 없는 것과 하나 있는 건 그야말로 천지차이지. 심지어 클래스 효과로 마나가 생겼음에도 그걸 다루지 못하는 녀석들에게는 더더욱.'

내가 킬리언스 산맥에서 사냥을 시작한 이유이기도 하다. 당장 병사들에게 나눠 주기에 가장 범용성이 높은 스킬이 배틀 크라이였던 것이다.

그리고 장비.

"충성을! 다하겠습니다!"

투사의 양손검(고급)+6을 들고 소드맨이 검례를 취한다.

[투사의 양손검(고급)+6]

무기 데미지 +16(+6)

근력+1(+3), 체력(+3)

재질 : 철

무게 : 3.7킬로그램

이건 그냥 거래소에서 샀다. 기본 몇만 원이 넘는 희귀급 장비들과 다르게 고급 등급의 장비들은 그 가격이 그다지 높지 않기 때문이다. 거래소에 올릴 수 있는 최소 가격인 10다이아니 현금으로 쳐도 천 원 정도에 불과하다.

“하드록. 이 시간부로 너를 백인대장에 임명한다.”

“빅 맨. 이 시간부로 너를 백인대장에 임명한다.”

“헌터. 이 시간부로 너를 백인대장에 임명한다.”

나는 천만 원의 월급으로 추가적인 패키지와 클래스 카드를 구입했다. 사실 하려고만 한다면 모든 영지민들에게 클래스를 부여할 수도 있으리라.

‘하지만 그러면 안 된다.’

인간은 쉽게 얻은 것을 쉽게 생각하는 동물이다. 나에게 클래스를 받으면 강건해진 육신에 당연히 고마워하겠지만, 모두가 받게 된다면 그것을 당연한 일로 여길 것이다.

‘거기에……. 직업 그 자체는 크게 의미가 없어.’

직업 자체의 스텟 보정도 물론 대단하지만 클래스 카드의 진짜 효과는 대상을 리벤지의 시스템에 편입시키는 데에 있다.

무엇보다 레벨 업.

제대로 싸우지도 못할 이에게 직업을 부여한다는 것은 직업을 내다 버리는 것이나 다름없는 일이리라.

“스틱. 이 시간부로 너를 십인대장에 임명한다.”

그렇게 클래스를 배분했다.

천인대장에게는 희귀급 직업과 고급 스킬북. +6강의 고급 장비.

백인대장에게는 고급 직업과 스킬북. 노강의 고급 장비.

십인대장에게는 고급 직업.

정예병에게는 일반 직업.

나는 일반 병사까지 일일이 얼굴을 마주하고 이름을 불러 주며 직업을 부여했다. 당연히 시간이 많이 소모되었지만 필요한 일이었다. 그들은 긴 시간 동안 오늘을 기억하리라.

"수고하셨습니다!"

"수고는. 정예병을 중심으로 오백을 추려. 출진이다."

"충!"

모든 병사들에게 클래스를 부여하고 출정식을 마치자 목이 터져라 경례를 한 병사들이 부지런히 움직이기 시작한다.

병사들은 멧돼지 가죽으로 만든 군장을 메고 장검, 장창, 방패 등으로 무장했다.

번거롭고 힘든 과정이지만 그들의 얼굴은 흥분으로 벌겋게 상기되어 있다.

"세상에. 칼이 새털 같다 새털."

"그 무겁던 방패가 이렇게 가벼워지다니……."

"힘이 넘쳐! 진짜 대단하다!"

"심지어 이 힘…… 클래스는 괴물을 죽일 때마다 성장한다고 했지."

"아, 내가 미쳤나 보다. 전쟁이 기대가 돼."

어린아이의 스텟은 보통 한 자리 대이며 성인 여성의 경우 20포인트 정도라고 한다.

신체 건강한 180센티의 성인 남성의 스텟이 30포인트. 40포인트가 넘을 정도면 극한으로 단련된 운동 선수급 스텟이다.

'근력이 40포인트 정도 되면 3대 400을 칠 수 있는 수준이지.'

그리고.

[일반] 등급의 클래스 카드는 주스텟을 40포인트 상승시킨다.

원래 근력이 40포인트였다면 80포인트가 된다는 말이고.

3대 400을 치던 녀석이 3대 800을 칠 수 있을 정도로 신체 능력이 강화된다는 말이다.

'이 막대한 강화가 어떤 느낌일지는…… 누구보다 내가 잘 알지.'

"방패를 들고 갈 필요 없다! 인벤토리에 넣어!"

"저, 저기 어떻게 하는지 잘……."

"방패 들고 그 화면에 넣으라고!"

병사들은 새로운 시스템에 많이 헤맸지만, 조금 시간이 지나자 결국 익숙해질 수 있었다.

애초에 게임이다.

게임 인터페이스는 긴 시간 동안 점점 더 쉬운 방향으로 발전되어 왔다. 일종의 시뮬레이션인 〈대전쟁〉이나, 〈리얼 스테이지〉와 달리 리벤지의 인터페이스는 직장인들이 한번 들여다보기만 해도 바로 플레하고 과금할 수 있도록 머리를 싸맨 결과물. 진지하게 임하는 이상 중세 사람들도 적응 못 할 이유가 없다.

"인벤토리…… 대단해. 50킬로그램까지 들어가는군."

"앗! 군장은 안 들어간다!"

"[아이템]이라는 카테고리 안에 들어가야만 넣을 수 있는 모양이야."

"방패는 안 들어가…… 오! 줄을 제거하니까 들어가진다. 아이템들을 모아 만든 물건이어야 하는구나."

병사들이 시끌시끌 떠들며 인터페이스에 익숙해지자 지나칠 정도였던 개인 무장들의 부피가 줄어들었다.

'좋아. 잘 받아들이는군.'

그러나 이제 시작.

녀석들이 받아들여야 시스템은 인벤토리뿐이 아니다.

"줄 맞춰! 미리 지시한 대로 파티를 짠다!"

그 목소리에 병사들이 분주하게 움직인다.

"시야 왼쪽에 파티라는 글자가 있다! 그것을 누르면……."

미리 클래스를 얻고 시스템을 충분히 숙지한 두 기사가

병사들을 짝지어 준다.

“각각 2에서 5인까지 표시된 문자가 보일 것이다. 선임병은 그중 5인이라는 글자를 터치한 뒤 미리 지시받은 인원을 파티원으로…….”

솔플 자사 게임이라 불리는 리벤지라도 MMORPG인 만큼 당연히 파티 시스템이 있다.

레벨이 20은 달성해야 개방되는 길드 시스템은 아직 이용할 수 없지만 파티 시스템은 1레벨부터 활용 가능하다.

‘뭐, 가능할 뿐이지 저렙에서 파티를 맺는 경우는 거의 없지만.’

저렙이라면 퀘스트나 열심히 진행할 것이지 파티는 무슨 파티란 말인가?

그러나 퀘스트도 이벤트도 뭣도 없는 아르데니아의 병사들이 레벨링을 하려면 파티 시스템이 반드시 필요했다.

“분배 방식이라는 게 있는데 이건 무엇입니까? 수동, 랜덤, 순차라고 적혀 있는데.”

“그건 당장 신경 쓸 필요가 없다고 하셨다.”

리벤지에 존재하는 [귀속]이라는 개념이 아르데니아에 적용되지 않아 아이템의 소유권 문제는 발생하지 않는다. 어차피 죄다 수거해서 보급품으로 쓸 것이니 소유권이고 뭐고 없는 것.

그러나 경험치의 경우는 상황이 다르다.

경험치 획득 기준은 [첫 타격], [준 데미지 비율], [마지막 타격]이다.

만일 파티 없이 전쟁이 벌어진다면 가장 힘들고 위험을 감수해야 할 방패병들은 경험치를 못 먹고 창병들만 폭렙을 하는 상황을 벌어지겠지.

때문에 파티는 방패병 1명. 근접 전투 3명. 궁수 1명으로 구성하였다. 각자 거리가 멀리 떨어지게 되어 파티라는 이름이 무색하지만, 같은 사냥터에 있기만 하면 경험치 분배가 이루어지니 문제는 없다.

'나 참. 이러면 쩔을 못 막지 않나? 고렙이 저렙을을 고렙존에 끌고 가 폭렙을 시켜 줄 수 있는 시스템인데.'

말하자면 시스템의 빈틈인데 리벤지는 어떤 방식으로 그것을 막을까?

놀랍게도, 기발하게도! 리벤지는 그것을.

안 막았다.

'나 참.'

리벤지는 플레이어들이 쩔을 하든 말든 신경 쓰지 않는다.

어차피 레벨은 레벨일 뿐.

캐릭터의 강함은 클래스와 장비. 컬렉션 등으로 결정되

기 때문이다.

대신 레벨을 40찍고 그 보상으로 상급 클래스 소환권을 받아 전설 신화 클래스가 나오길 기도하는 리세마라를 방지하기 위해 특정 사냥터를 반복적으로 도는 고렙 캐릭터를 5회 경고 후 정지를 먹인다고 들었다.

말 그대로 리세마라만 막을 뿐, 지인 쩔은 오히려 장려하는 분위기다.

"화살은 인벤토리에 넣고 군장만 마차에 실어라!"

"파티 다 짰으면 자리로 이동해!"

준비는 빠르게 진행되었다. 이미 며칠 전부터 준비하고 있던 일이었기에 그 모든 과정이 신속하기 짝이 없다.

척! 척! 척!

오백의 병사가 진지를 벗어나 이동을 시작한다. 올라간 신체 능력과 모두에게 50킬로그램씩 주어진 인벤토리 덕에 사기는 하늘을 찌른다. 잘 먹고 잘 자고 훈련도 충실하게 해 왔기에 전투력이 최고조에 이르러 있는 상태.

"인간 놈들! 인간 놈들 나온다!"

"왜 이렇게 멀쩡하다? 왜 그렇다? 배 안 고프다?"

"맨날 고기! 고기! 엄청 먹었다?"

"그보다 벗어나려고 한다! 막아라, 막아!"

"네가 나가라, 네가!"

군대가 접근해 오자 멀찍이에서 포위진을 짜고 있던 고

블린들이 꽥꽥 소리를 지르며 몰려든다.

오합지졸로 보이지만 절대 만만한 녀석들이 아니다. 덩치에 어울리지 않는 신체 능력. 제 몸을 아끼지 않는 전투 방식. 멍청해 보이다가도 의표를 찔러 들어오는 악의 가득한 지능까지.

변방이라고는 하나 나름 무가를 자처하던 레드엑스 남작가가 괜히 무너졌겠는가?

그러나.

“전군.”

녀석들이 맞이한 적은 지금까지의 군대와 전혀 다를 것이다.

“전진.”

쿵! 쿵!

방패병들이 발 맞춰 걷기 시작하자 대지가 울린다. 전선을 다 가리다 못해 머리 위로 10센티는 더 올라가는 대형 방패들이 동시에 전진하자 거대한 성벽이 대지를 밀어 버리는 것만 같다.

“어? 어어? 어어어?”

“잠깐! 잠깐 잠깐!”

“이게 뭐다? 철판 가죽들이?”

악을 쓰며 달려들던 고블린들이 육중한 방패의 전진에 당황해 주춤주춤 물러선다.

“달려들어! 물어뜯으면 된다! 물어뜯으면!”

개중 몇은 괴성을 지르며 방패에 매달렸지만.

콰득! 퍽!

대형 방패 사이사이를 메우고 있는 검방병들의 뻐 장검이 둔기처럼 휘둘러져 녀석들의 머리를 박살낸다.

방패병을 보조할 수 있도록 반 발짝 뒤로 엇갈려 서 있었기에 가능한 일이었다.

그뿐이 아니다.

“찔러!”

“찔러라!”

푹! 푹! 푹!

창병들이 내지르는 창이 방패 사이사이에서 튀어나와 고블린들의 목에 바람구멍을 낸다.

퍽! 퍽! 콰득!

“밀어붙여! 넘어트려!”

“찔러!”

“머리통을 깨 버려!”

전투는 일방적이었다. 전과 달리 내가 뛰어들어 난장을 피고 있지 않음에도 그랬다.

‘좋아. 애초에 고블린 놈들의 공격은, 제대로 통하지도 않는다.’

병사들은 죄다 강철 흉갑에 강철 부츠를 장비하고 있고

머리까지 덮는 두꺼운 가죽 코트를 걸치고 있다.

물론 그만큼 체력이 빠른 속도로 소진되고 있지만.

팟! 팟! 팟!

전쟁터 여기저기에서 레벨 업 이펙트가 터져 나온다. 일반 등급의 고블린이 경험치가 형편없다고는 하지만, 병사들은 고작 1레벨. 파티가 경험치를 나눠 먹어도 레벨 업 하기에 충분한 양이다.

레벨이 오르자 체력과 마나가 어느 정도 회복되고 회복력과 마나 회복력이 영구적으로 상승한다.

싸우면 싸울수록 힘이 넘치자 기세가 오른 병사들이 더욱 거칠게 고블린들을 학살한다.

"엄청나군요……."

내 옆에서 전장을 둘러보던 스마일이 낮게 신음했다.

"아무리 육체 능력이 향상되었다지만 이렇게나 일방적이라니."

"고블린과의 전투를 상정하고 무장시켰으니까. 단순한 전투에서는 육체 능력이 가지는 의미가 막대하기도 하고."

육체 능력 향상이 마냥 좋기만 한 일은 아니다. 자신이 생각하는 능력과 실제 스펙에 괴리가 생기면 전투 시 엇박을 치게 될 수 있기 때문이다.

정교한 전투 능력을 갖춘 존재가 대상이라면 상승한 스

펙 때문에 오히려 목숨이 위험할 수도 있다는 것.

그러나 전쟁터의 싸움은 무술가의 그것과 다르다.

적이 오면 방패를 들어 올려 막고 간격이 되면 창을 내지르면 그만이다. 적이 달려들면 대가리를 깨 버리고 힘주어 버텨 내는 것이 전부.

이런 싸움에는 무조건 센 게 최고다.

상승한 육체 능력을 처음부터 백 퍼센트 활용하지는 못하겠지만 실전을 겪으며 점점 익숙해 질 것이다.

"계속 전진하라!"

"뛰지 마! 열을 맞춰라!"

고블린들이 과도하게 밀집하게 되면 즉시 두 기사가 뛰어들어 고블린들을 갈아 버린다.

원래부터 오러 사용자였던 그들은 상승한 스펙 때문인지 최근의 전투들 때문인지 경지에도 유의미한 변화가 있었다. 휘두르는 검에서 시퍼런 오러가 돋보인다.

"인간들 세다! 너무 세다!"

"내가 빠져서 소식 전한다! 전령이다 전령!"

"아니다, 전령 내가 한다!"

"내가 전할 거다, 내가!"

결국 버티지 못한 고블린들이 후퇴하기 시작한다. 그리고 전에도 그랬지만, 전쟁에서 가장 많은 사상자가 발생하는 것은 후퇴하는 적을 추격할 때이다.

팟! 팟! 팟!

팟! 팟! 팟! 팟!

사방에서 레벨 업 이펙트가 터져 나온다.

"대승입니다. 영주님."

"사상자는?"

내 물음에 스마일이 몇 줄의 주문을 외우며 눈을 감았다. 그리고 잠시 후 눈을 뜨더니 보고했다.

"부상자 25명. 사망자 4명입니다."

"정예병에서?"

"네. 정예병들입니다. 너무 흥분해 전열을 이탈하거나…… 얼굴에 마비침이 박혀 죽었다고 합니다."

녀석의 말에 한숨 쉬었다.

'이렇게 준비해도 죽을 녀석은 죽는군.'

그러나 전혀 예상치 못하던 상황은 아니었기에 다시 입을 열었다.

"특이 사항은?"

"시체는 그대로입니다. 인벤토리에 들어 있던 물건들이 주변으로 쏟아지는 것을 확인했고…… 안타깝게도 클래스 카드는 떨어지지 않는 것으로 확인되었습니다."

"안타까운 게 아니지."

"네? 아…… 그렇군요. 그럴지도 모르겠습니다."

만약 클래스를 부여 받은 병사가 죽어 클래스 카드가

드랍 된다면 어떻게 될까?

그때부터 내 병사들은 사냥감이 될 것이다.

인간들의 사냥감이.

'탐욕은 이성을 잃게 만들지.'

클래스 효과를 적용받은 병사들은 결코 만만치 않은 상대지만 그렇다고 무지막지한 강자도 아니다.

그들을 죽여 클래스 카드를 얻을 수 있다면 온갖 개잡놈들이 내 병사를 죽이려고 몰려들 것이다. 어쩌면 내 영지민 중에서 암살을 시도하는 녀석이 나올지도 모르고.

"일단 시신들을 따로 모아 놓고 며칠간 상태를 지켜보다 화장하라고 해. 그 모든 과정은 항상 5명 이상의 병사의 입회하에 진행하도록 하고 그 모든 과정을 영지민들에게 공개해라."

"네, 영주님."

다시 눈을 감는 스마일에게서 눈을 떼 전장을 살펴보았다.

오백의 병사 중 겨우 네 명의 사망자로 천 마리가 넘는 적에게 압승했다. 악을 쓰며 덤벼드는 괴물이 아니라 겁에 질린 민간인을 상대로나 낼 수 있는 압도적인 전과.

그러나 우리가 일반적인 인간의 군세였다면?

이렇게 압도적으로 이겨도 진 것이다.

'왜냐하면 몬스터는 리젠되니까.'

리벤지처럼 빠르지는 않지만 적어도 하루면 살아나는 것으로 짐작된다. 희귀 몬스터 이상은 정확히 얼마나 걸리는지 알 수 없지만 오크 투사 함롬이 살아난 시간을 생각했을 때 아무리 길게 잡아도 일주일 안에 리젠될 것이다.

즉.

몬스터를 상대로 인간은 단 한 명만 죽어도 손해다.

'심지어 전쟁 중 소모되는 물자는? 식량은? 건장한 청년들이 전쟁에 참여하느라 생업에 종사할 수 없음으로 발생하는 손해는?'

물론 몬스터를 죽이면 녀석들이 골드를 비롯한 아이템들을 떨구지만 그걸로 죽어 나간 병사를 대체하는 것은 불가능했다.

'제국이고 연맹이고 다 무너질 거다. 그나마 무사할 세력들이 있다면…… 바둑판의 외곽선에 위치한 영지들이지.'

특히나 여기서 다시 북쪽으로 100킬로미터 이동하면 등장하는 바람막이 고원에 위치한 영지는 오히려 세력이 커졌을지도 모른다.

고원 멧돼지(일반)는 물론 위험한 맹수이지만 그래 봐야 짐승일 뿐. 거기에 녀석은 멧돼지 뒷다리(재료)와 멧돼지 가죽(재료)을 드랍한다.

즉, 인간이 살아가는 데 필요한 의식주 중에서 의(衣)와 식(食)을 해결해 준다는 뜻!

거기에 무기와 방패까지 떨구니 아르데니아에서 이만한 혜자 몬스터가 없다. 내가 괜히 게임 캐릭터들을 바람막이 고원에서 노가다시킨 게 아니다.

'레드엑스 영지에서 [던전 클리어]와 [공성전]을 마무리하면 화이트 마운틴 영지로 북상한다.'

언제까지 나 혼자 영지를 먹여 살릴 수는 없다. 영지민들이 계속 늘어나면 자동 사냥을 아무리 돌려도 감당하기 불가능한 선에 반드시 도달하기 때문이다.

그런 면에서 고원 멧돼지(일반)을 비롯해 각종 짐승들이 출몰하는 화이트 마운틴 영지는 반드시 차지해야 할 요지였다.

"전후 처리가 완료되었습니다. 영주님."

"빠르군."

"피해가 별로 크지 않으니까요."

스마일의 말에 고개를 끄덕인다.

"한 시간 정도 쉬고 동쪽으로 이동한다. 거기에서 다시 고블린 녀석들을 죽이고 점심을 먹겠다."

"북상하지 않고 주변을 돈다는 말입니까?"

"그래."

아까 했던 말이지만 인간의 군세는 몬스터와 싸워 단

한 명만 죽어도 손해다. 남는 것이 없기 때문이다.

'그러나 내 군대는 다르지.'

내 군대는 싸우면 싸울수록 남는다.

바로 경험치가.

"모든 정예병이 20레벨을 찍을 때까지 주변에 있는 모든 고블린을 박멸한다. 명령을 전달해."

"네, 영주님."

눈을 감는 스마일을 일견한 뒤 다시 병사들의 모습을 눈에 담았다.

길드(Guild)를 만들 때가 되었다.

* * *

군대는 하루 동안 네 번에 걸쳐서 고블린들을 무찔렀다. 각각 천사백, 천삼백, 천백, 천백여 마리였다.

정확한 숫자는 아니지만 대략 오천 마리를 학살한 셈이다.

상당한 전과였지만 병사들이 20레벨을 찍으려면 멀었다.

'우리 쪽도 많으니까.'

5천 마리라고 해 봐야 우리 쪽 정예병도 310명이나 된다. 경험치로 따지면 한 사람당 고블린 16마리를 잡은 것에 불과했다.

'그래도 내일. 늦어도 모래쯤이면 되겠지.'

어느새 해가 지고 야영지를 꾸렸다. 그 사이, 싸늘해지는 공기를 느끼며 측근들을 소집했다.

"플라워, 치료는 잘되었나?"

"네, 영주님. 힐링이 있으니 수술의 난이도가 예전과 비교조차 할 수 없을 정도로군요."

프리스트(희귀)를 습득한 플라워를 중심으로 한 열 명의 사제들이 전투가 끝날 때마다 병사들을 치료하고 있다.

그들은 그저 클래스와 스킬북을 받은 일반인이 아니라 과거 4급 용맥이었던 [평온의 정원]을 활용하기 위해 모집했던 인재들이다. 이 중세 랜드에서는 흔치 않은 외과 수술의 전문가들.

'이러려고 모은 사람들이 아닌데. 이걸 전화위복이라고 해야 하나?'

그렇게 생각하며 플라워를 바라본다.

"레벨은 어떻게 되지?"

"13레벨입니다."

그녀의 말에 고개를 돌린다.

"너희는?"

"26레벨입니다."

"21레벨입니다."

"에, 저는 아직 14레벨밖에……."

차례대로 스틸스톤과 헌드레드. 스마일의 레벨. 나는 플라워를 그들 옆에 서게 한 뒤 설명을 시작했다.

"이미 알다시피 난 너희를 지휘 체계에서 분리했다. 앞으로 부대를 벗어나 싸울 일이 많기 때문이야."

사실 나는 천인장이라는 직위를 만들 필요가 없었다. 병사들의 수가 천 명 즈음이니 두 기사에게 각각 오백씩 이끌게 하는 게 정상적인 흐름.

그러나 나는 굳이 천인장을 만들고 기사들을 프리 롤로 풀어 놓았다.

군대에서 기사와 마법사를 제외해도 문제없이 작전을 수행할 수 있도록 만든 것이다.

뿐만 아니라 플라워 또한 다른 힐러들과 분리해 [스틸스톤, 헌드레드, 스마일, 플라워]를 한 파티로 묶었다.

왜냐하면 그들을 빼서 할 일이 있기 때문이다.

"더 올려야 한다. 말했지? 우리는 던전을 클리어 해야 한다고."

영지를 차지하는 과정은 두 단계로 진행된다.

1. [헬] 난이도의 던전을 클리어 해 공성전 퀘스트를 받고.

2. 해당 길드로 공성전에 승리할 것.

모든 길드원이 던전을 클리어 할 필요는 없지만 적어도 길드 마스터는 던전 클리어 해야 했다. 길드 퀘스트를 받을 수 있는 것은 길드 마스터뿐이기 때문이다.

"그것을 위해서 그만한 수준에 도달해야 한다는 말이군요."

"그뿐이 아니다. 정예병 중에서도 아흔다섯을 추가로 선별해 놔. 어쩌면 백 명으로 공성전을 진행해야 할지 모르니까."

"……공성전을 고작 백 명이서 말입니까? 어째서 숫자를 더 줄여서 진행해야 합니까?"

불합리한 상황에 헌드레드가 의문을 표했지만 어쩔 수 없는 일이다.

'1레벨 길드로는 길드원을 100명 이상 받을 수가 없어.'

길드 인원을 늘리려면 길드 레벨을 올려야 하고 길드 레벨을 올리려면 길드 경험치를 얻어야 한다.

그런데 이 길드 경험치를 어떻게 올리는가? 리벤지 플레이어들은 '길드원들이 벌어들이는 경험치만큼 오르는 거 아닌가?'라고 흔히 생각하지만 정확히 이야기하자면 좀 달랐다.

'여신의 가호 소모량만큼 오르지.'

게임에서야 별문제가 안 되는 콘텐츠다. 리벤지에서 사냥을 하면 당연히 여신의 가호를 소모하기 때문이다. 어떤 미친놈이 여신의 가호도 없는데 사냥을 하겠는가?

그러나 아르데니아에서는 다르다. 이 세계에서는 나를 제외한 그 누구도 여신의 가호를 가지지 못한다.

과금을 할 수도 없고 사료, 그러니까 푸시 아이템도 없으니 모두가 공평하게 가호가 0포인트인 것.

'안전지대에 있거나, 또는 로그아웃 상태일 때 200포인트까지 자동 충전되지만…… 아직 이 세상에는 안전지대가 없어. 길드 레벨을 올리려면 적어도 영지 하나는 먹어야 한다.'

나는 생각을 정리했다.

공성전 인원 제한이 없을 수도 있다. 아이템에 귀속 개념이 없고 치명타, 패링, 명중이 그냥 현상으로 대체된 시점에서 그 무엇도 장담할 수 없겠지.

하지만.

"반드시 그렇게 되는 건 아니다. 그저 저 던전을 지배하는 [규칙]이 우리를 강제하는 상황을 대비해야 한다는 것이지."

"그렇다면…… 알겠습니다."

녀석이 고개를 끄덕이고 물러서는 모습을 본 뒤 모두에게 말했다.

"오늘 한 것처럼 계속 전투를 이어 나가라. 목표는 전 병력 20레벨. 문제가 생기거나 물자가 부족하면 진지로 돌아갔다 다시 나와도 상관없다."

내 말에 스틸스톤이 물었다.

"혼자 움직이실 생각이십니까?"

"지금 전투에 내가 낄 필요는 없으니까. 알아봐야 할 것도 있고."

"위험하지 않겠습니까?"

"위험이라."

피식-

절로 웃음이 나왔다. 오크 전사들의 습격조차 이겨 낸 나다. 게다가 헬 난이도로 가면 영웅급이 튀어나오는 오크 던전과 다르게 고블린 던전은 헬 난이도까지 가도 희귀급이 끝이다.

그리고 무엇보다…… 오크 무리와 싸울 때의 나와, 지금의 나는 다른 사람이나 다름없다.

"너희나 무리하지 말고 싸워. 다시 왔을 때 인원 변화가 없으면 좋겠군."

그렇게 말하고 펫 창을 연다.

〈철갑 코뿔소 스팅(희귀)이 소환됩니다!〉

쿵쿵!

아무것도 없는 허공에서 강철로 만든 비늘로 온몸을 뒤덮은 코뿔소가 모습을 드러냈다. 덩치가 어찌나 큰지 어지간한 자동차만 하다.

"아, 아니 무슨 허공에서 이런 녀석이……."

"마수…… 아니. 짐승? 하지만 이만큼 강해 보이는데 온순하다니."

"엄청난 덩치로군요. 게다가 철갑……."

놀라는 목소리를 뒤로하고 철갑 코뿔소, 스팅의 등에 올라탄다. 이미 안장이 매여 있었기에 앉는데 문제는 없었다.

"다시 말하지만."

슬쩍 고개를 돌려 스팅의 허리를 가볍게 찬다.

"사망자 없게."

쿵! 쿵쿵! 쿠쿠쿠쿠쿠쿠!

삽시간에 가속한 스팅이 무지막지한 속도로 대지를 질주하기 시작한다.

'역시 희귀급. 좋은데?'

리벤지의 펫은 흔히 세 종류로 분류된다. 플레이어의 능력치를 올려 주거나 특수 능력을 부여하는 버프형. 플레이어와 함께 싸워 주는 전투형. 플레이어를 태울 수 있는 탑승형까지.

내가 타고 있는 철갑 코뿔소 스팅은 그중 탑승형과 전투형에 슬쩍 걸쳐 있는 녀석이다.

"뭐 진짜 걸치고만 있는 수준이지만…… 현실에서는 어떨까?"

게임에서 탑승형 펫은 몬스터도 공격하지 않고 스스로도 싸우지 않지만……

아무리 탑승형이라도 현실에 존재하는 짐승이라면 못 싸울 리가 없다. 특히나 이렇게 살벌한 덩치의 코뿔소라면 더더욱 그렇겠지.

"인간! 인간! 인간이 혼자 온다!"

"덮치자! 넘어트리자! 송곳을 찔러 주자!"

"그래! 당장! 당장 앞을 막아서…… 어? 어어!?"

"히이익!"

쿠콰쾅!

스팅은 잠시도 속도를 멈추지 않고 달렸다. 앞을 막아서던 고블린들을 불도저처럼 밀고 들어오는 철갑 코뿔소의 뿔에 치이고 발에 짓밟혀 박살이 났다.

물론 개중 몇은 몸을 날려 스팅의 측면에 매달리려 들었지만.

[치명타!][치명타!]

가볍게 검을 휘둘러 목을 쳐 낸다.

'역시 펫 위에서 공격하는 데 아무런 문제가 없다.'

리벤지에서는 특정 직업을 제외하고서는 탑승 상태에서 공격을 날릴 수 없다는 걸 생각하면 게임이 현실이 되면서 생겨난 어드밴티지라고 할 수 있었다.

대신 라벤지에서는 없는 페널티도 있었다.

"푸르륵! 푸륵!"

30분 정도 달리자 기세 좋게 고블린들을 밀어 버리던 스팅이 거칠게 숨을 헐떡이기 시작한다.

"어디 보자…… 지쳤네. 하긴 이런 덩치로 이 속도를 내는데 당연하지."

그러나 게임에서는 달랐다. 물론 리벤지에도 스태미나라는 개념이 있긴 하지만 그건 스킬 사용을 위한 자원일 뿐 [평타]와 [이동]에는 소모되지 않았기 때문이다.

'하긴 자동 사냥 게임에 평타와 이동에 스태미나가 소모되면 게임이 굴러 갈 리가 있겠어?'

나는 헐떡이는 스팅의 등을 가볍게 두들겨 속도를 줄였다. 승마는 꽤 해 봤어도 코뿔소는 타 본 적이 없는데 이 녀석은 찰떡같이 내 뜻을 이해해 다루는 데 어려움이 없었다.

"인간! 인간이 섰다!"

"헥헥…… 헥헥…… 인간 마을로 향한다! 잡아 죽인다!"

"강철 짐승 너무 무섭다! 포위해서 막아야 한다!"

"친구들 불러라, 친구!"

은빛으로 빛나는 스팅도 그 위에 타고 있는 나도 워낙 눈에 띄는 존재였기에 어그로는 잔뜩 끌려 있는 상태다.

"어디 보자…… 대충 2천 마리 정도 되나?"

나는 주변을 둘러보며 장비를 변경했다.

팟!

인벤토리에 있던 장비를 상태창에 장비하자 머리에 투구가 씌워진다.

[거친 완력의 미스릴 투구(희귀)+4].

가벼운 옷차림이었던 몸에도 은빛의 갑주가 씌워진다.

[거친 완력의 미스릴 흉갑(희귀)+4], [거친 완력의 미스릴 갑주 하의(희귀)+4], [거친 완력의 미스릴 장갑(희귀)+4], [거친 완력의 미스릴 부츠(희귀)+4].

온몸을 미스릴 전신 갑주가 뒤덮자 세트 효과가 발동된다.

[거친 완력(희귀)]

순수 근력의 20%가 버프로 적용.

"갑옷! 저놈 갑옷 입었다!"

"독침 안 통한다!"

"돌을 던져 보자!"

어느새 둥그렇게 나를 둘러싸고 있는 고블린 놈들이 악을 쓰며 돌을 던졌다.

분명 피할 수도, 쳐낼 수도 있는 공격이었지만, 나는 그저 가만히 바라만 보았다.

까강! 땅!

고블린들의 투척 능력은 덩치에 비하면 상당하다. 자기 주먹만 한 돌을 시속 80~90킬로미터로 던지니 방심하다 얻어맞으면 머리통이 깨지는 게 다반사.

그러나.

"와, 진짜."

웃음이 나온다.

"간지럽지도 않네."

영주가 되고서도 얻지 못했던 전신 갑주. 그것도 미스릴로 만들어진 희귀 템을 온몸에 두르자 그야말로 아무런 타격이 없었다.

물론 돌팔매도 공격은 공격이니 조금씩 충격이 누적되지만.

'머리에 정타로 맞아도 타격이 없을 정도라니.'

적진 한가운데 혼자 뛰어든다는 사실에는 처음부터 두려움이 없었다. 애초에 고블린들 따위는 내 적이 아니었기 때문이다.

그러나…… 갑주의 성능을 확인하자 이건 그냥 두려움이 없어지는 수준이 아니다.

전장이.

내 집 같이 편안하다.

"장비빨, 장비빨 말은 많았지만 이건 진짜……."

기막혀 하면서도 나머지 장비를 착용한다.

[확신의 검(고급)+9].

최초로 가지게 된 9강의 무기.

[거친 완력의 귀걸이(희귀)+6], [룬스톤 귀걸이(고급)+6], [거친 완력의 목걸이(희귀)+6], [거친 완력의 반지(희귀)+6], [강인한 생명의 반지(희귀)+6].

모든 옵션과 가격을 고려해 효율적으로 구매한 액세서리들.

[용맹의 팔찌(영웅)+3], [거인의 팔찌(희귀)+3]. [투쟁의 벨트(영웅)+3].

그리고 그런 액세서리들과도 비교를 불허하는 캐시 액세서리까지.

심지어 이게 끝이 아니다.

-고오오오오……

내 등 뒤로 오오라가 피어오른다. 고블린 녀석들은 그 모습을 보지 못하는 모양이었지만 그것은 그저 내 뒤에 존재하는 것만으로 내게 살벌한 스펙 상승과 강력한 버프를 부여하고 있다.

방랑 트롤(수호령).

네버다이(영웅). 11레벨.

"와, 맙소사."

가만히 서 날아드는 돌멩이들을 맞으며 신음한다.

과거 나는 영웅 등급의 직업을 갖추고 컬렉션 보정을 받은 뒤 '옛날의 내가 10명이 덤벼도 이길 수 있을 것 같아.'라고 생각했었다.

그 생각은 사실이었다.

마나의 현묘한 이치와 깨달음의 습득이 없어도 인간은

얼마든지 강해질 수 있다. 스펙의 상승은 무시할 만한 변수가 아니고 나는 그 스펙을 온전히 활용할 역량이 있었으니까.

그리고 1,000만 원의 군자금을 효율적으로 소비한 지금의 난.

"파워 인플레, 미친."

다시 그때의 나 10명이 덤벼도 이길 수 있다.

압도적으로.

리벤지에는 스킬을 선택하여 캐릭터의 성장 방향성을 결정하는. 흔히 말하는 [스킬 트리]라는 것이 없다.

성기사가 신성 공격 스킬만 희귀급이고 탱 스킬은 고급이라고 하면 그것이 공격 특화 스킬 트리를 탄 것인가?

아니다.

그는 그저.

그저 돈이 모자라서 탱 스킬을 사지 못한 것이다.

'일반적인 MMORPG게임과 달라. 굳이 비교하자면…… 수집형 RPG게임에 가까운 방향성이다.'

스킬은 '돈만 되면 다 사는 게 이득'이라 궁극적으로 다 똑같아지니 리벤지의 성장 방향성을 결정하는 것은 결국 스텟과 장비.

여러 가지의 스텟과 장비 중 원하는 하나를 선택하는 것이 바로 캐릭터 육성이 된다.

같은 검사 캐릭터여도, 근력에 몰빵하고 추가 공격, 반격 옵션이 달린 장비를 끼면 딜러인 것이고 생명력을 찍고 피해 감소, 오토 힐이 달린 장비를 끼면 딜탱이 된다.

자유도 없기로 유명한 리벤지이지만, 자유도가 전혀 없지는 않다는 말이다.

'물론 장비 선택이 강제되는 클래스도 있지.'

당장 내가 끼고 있는 검왕(영웅) 클래스만 해도 그렇다.

검사, 혹은 검객 트리라고 불리는 클래스들은 치명타 수치가 너무나도 중요해서 다른 스텟을 욕심 낼 수가 없다.

만약 검객 클래스가 다른 스텟을 챙겼다면, 그것은 더 이상 치명타 수치를 챙길 방법이 없기에 선택한 차선책일 것이다.

'그리고 그 방향성이 가리키는 방향은 분명하지.'

모든 검객 클래스 플레이어들의 꿈과 희망. 도달하고자 하는 궁극점.

치명타 100%.

"로그아웃."

나는 편의점으로 돌아가 직업 게시판을 뒤졌다.

[제목] : 검성…… 치명타 확률 100% 찍었습니다!

길고…… 긴…… 터널을 지나온 것 같습니다……

요새 크리 직업들이 너무 늘어나서(특히 점창검마 ㅅㅂ 짱 많음.) 크리 악세 가격도 너무 올랐고 9강 특수효과로 크리 5% 챙겨야 하는데 자꾸 미끄러지고…… (오열).

아! 크리 각인은 또 왜 이렇게 안 떠요!? 남들 다 잘 뜬다는데 맨날 근력강화 뜨네!

뭐 하여튼, 그래도! 찍었습니다!

아 크리 100% 진짜 신세계입니다 사냥하면서 오르가즘이 오네요. ㅠㅠ 95%랑도 차원이 다릅니다. 몬스터들도 스킬을 쓰니 첫타에 치명타가 터지냐 안 터지냐는 너무나도 중대한 문제니까요.

거기에 남는 악세(귀걸이랑 반지)한 짝씩을 공속으로 맞추면 10초에 한 번씩 천검-백인참이 터집니다!

검 한 자루로 몰이사냥을 하는 내 쩔어 주는 검성을 보라고!

"아, 갑자기 검성 마렵네……."

치명타에 대한 이야기를 찾아보다가 검성 게시물을 보니 갑자기 배가 아파 온다. 이미 1,000만 원의 돈을 알뜰살뜰하게 써 버렸으니 어쩔 수 없는 상황임에도 그러하다.

"뭐, 검성 아니어도 충분히 강한 상태긴 한가. 천검은 아쉽지만 버프 풀 유지 상태만 해도 상당하고…… 크리 대신 다른 스펙을 챙겼으니.”

리벤지의 성장 방향성을 결정하는 것은 결국 스텟과 장비.

그리고 내가 선택한 콘셉트는 아주 심플하다.

“근력.”

리벤지에서 전사가 근력을 찍으면 그저 근접 데미지가 증가할 뿐이다. 물론 RPG에서 데미지는 캐릭터 스펙의 알파이자 오메가이기에 매우 중요하지만 그래 봤자 그게 전부라는 것.

그러나 현실에서는 다르다.

근력은, 그 근육의 수축과 이완 능력은 육체 기능의 시작이자 끝이고 인간이 할 수 있는 모든 운동 능력의 한계선이다.

근력이 강하다면 보통의 인간들은 엄두도 못 내는 중량을 들 수 있다. 뿐인가?

근력이 강하면 더 높이, 더 빨리 뛸 수 있고 단지 잡아 쥐는 것만으로 돌을 으스러트릴 수 있다.

리벤지식으로 하면 근력을 높이는 것만으로 공격 속도, 이동 속도, 공격력, 회피력 모두가 증가하는 셈이니 그 중요함이 이루 말할 수가 없다.

나는 상태창을 확인했다.

아이디 : 한재연

클래스 : 검왕(영웅)

칭호 : 신규 모험가(일반)

레벨 : 35

근력 : 120(+296) 체력 : 49(+120)

생명력 : 62(+179) 민첩 : 52(+180)

마나 : 1(+75) 마나력 : 1(+25) 항마력 : 1(+15)

회복력 : 100(+15) 마나 회복력 : 21(+11) 운 : 10

자유 스텟 : 0

상태 : 정상

최종적으로 나는 400포인트가 넘는 근력을 가지게 되었다. 어지간한 생체력 마스터와 맞먹을 정도로 높은 근력.

심지어…… 고수의 간합 버프(근력, 체력, 생명력, 민첩 +5)가 20회 중첩되면 500스텟이 넘는다.

'맙소사. 오백 스텟이라니.'

400포인트의 근력이 마스터급 생체력 수련자와 맞먹을 정도라면.

500포인트는 확실하게 마스터급보다 높은 스텟이다.

"근력이 오백 스텟이 넘는 생물이…… 뭐가 있지? 체다!"

"야옹."

냉큼 카운터 위로 뛰어오른 체다의 배를 두들긴다. 위키를 검색하니 결과가 바로 나온다.

"오우거 성체의 근력이 오백 포인트……."

지구에서야 박물관이나 마수원에서 관광객의 눈을 즐겁게 해 줘야 하는 구경거리 신세지만 그럼에도 녀석들의 괴력은 유명하다. 4.5에서 6미터의 신장을 가진 괴수 중의 괴수!

"인간 사이즈로 그만한 근력을 휘두를 수 있단 말이지…… 다만 이 정도 스펙은 아르데니아로 한정되는군."

클래스, 스킬, 컬렉션, 그리고 수호령의 효과는 현실에서도 적용된다.

덕분에 나는 예전의 나와 비교조차 할 수 없는 신체 스펙과 영능력을 가지게 되었다.

그러나 모든 효과를 다 볼 수 있는 것은 아니다.

'일단 펫을 가져올 수 없지. 하지만 이건 문제가 아니야. 진짜 큰 문제는…… 장비다.'

장비는 리벤지 스펙의 시작이자 끝이다. 클래스, 레벨, 수호령들이 아무리 대단해도 그만한 장비가 받쳐 주지 않으면 허상에 불과하다고 하니까.

귀걸이 두 개, 반지 두 개, 팔찌 두 개, 벨트, 목걸이, 투구, 상의, 하의…… 등등의 총합은 그만큼 대단한 것이다.

무엇보다 장비가 없는 현실에서는 [공격력]과 [방어력]의 보정도 받을 수 없다.

'지구와 아르데니아 사이에 공유되는 건 내 육신뿐이라 벌어지는 일이지.'

혹시 아르데니아에서 장비를 착용하고 있으면 현실에서도 적용되지 않을까 했지만 기대는 기대일 뿐이었다.

'뭐, 어쩔 수 없나. 지구와 아르데니아의 신체 능력 차이로 인해, 실수하는 상황만 조심해야지.'

그렇게 생각을 정리한 나는 편의점을 한 번 둘러본 뒤 중얼거렸다.

"로그인."

말과 동시에 손님 하나 없이 적막하던 편의점은.

"넘어트려! 넘어트리자! 밀어 버려!"

"당겨! 당겨! 당겨!"

"뒤에서는 왜 안 미냐!?"

수없이 많은 고블린들이 악을 지르는 전장으로 변했다.

"갑옷 벗겨! 이대로는 딱딱해서 상처 못 입힌다!"

"갑옷에 틈이 없다! 꼬챙이도 안 들어간다!"

"벗겨지지 않는다! 갑옷에 나사가 없다! 끈도 없다! 이게 뭐냐!?"

날 밀고 당기던 고블린들은 도저히 답이 없자 내 온몸

에 달라붙어 갑주를 벗기려 들었다.

그러나 그것도 답이 없는 건 마찬가지다.

'벗길 수 있을 리가.'

거친 완력의 미스릴 갑주는 일종의 전신 갑주이다. 흔히 말하는 풀 플레이트 아머인데 그 구조는 현실의, 그리고 중세의 전신 갑주와 좀 다르다. 말 그대로 온몸을 뒤덮는 통짜 갑주인 것!

사실 말이 안 되는 구조다. 보기야 빈틈없고 좋지만 이런 갑주에 대체 무슨 의미가 있단 말인가? 물리적으로 입을 수가 없는데!

'하지만 가능하지. 게임 아이템이니까.'

본래 전신 갑주는 수많은 부품과 나사. 그리고 끈 등으로 고정하게 되어 있지만 거친 완력의 미스릴 갑주에는 그런 게 없다.

당연한 일이다.

디테일과 고증에 목숨 건 미친놈이 아니고서야 누가 게임에서 그런 것을 구현하겠는가? 갑옷에 박을 문양 디자인하기도 바쁠 텐데.

리벤지의 전신 갑주는 물리적으로 입는 게 불가능하고, 혹 입는다 하더라도 벗는 게 불가능하다. 인벤토리에서 상태창으로 드래그해서 입기에 성립될 수 있는 구조였다.

"후우……."

나는 내 몸에 다닥다닥 붙어 있는 고블린들을 무시한 채 몸을 수그렸다.

"짓눌러! 짓눌러!"

"눌러 죽이자! 온몸을 부러트리자!"

몰려드는 고블린의 수가 점점 많아진다. 열댓 마리에 불과하던 녀석들이 어느새 수십 마리가 되더니 이내 수백 마리가 되었다.

고블린들이 악을 쓰며 탑처럼 내 위에 쌓이는 게 느껴진다.

"악! 악! 아프다! 내보내 줘!"

"악! 눌린다!"

"꿱!?"

고블린 탑이 너무 높게 쌓이자 내 몸에 먼저 올라탔던 고블린들이 그 무게를 버티지 못하고 비명을 지른다. 그저 비명을 지르는 것뿐이 아니라, 개중 몇은 뼈가 부러지고 배가 터져 죽기까지 한다.

그저 멍청하다 비웃기에는 너무나 강렬한 광기와 살의. 그러나 그 안에 있는 난 그 광기에 두려워 떠는 대신.

땅을 박차고 일어나며 두 팔을 떨쳐 올렸다.

푸---- 확!

팝콘이 튀는 모습을 본 적이 있는가?

뻥튀기가 터져 나오는 모습은?

고블린들이 바로 그것들처럼 사방으로 튕겨나갔다.

"으아악!? 터졌다! 터졌어!"

"괴물이다! 괴물 갑옷이다!"

"날았다! 날았어! 모두 날아가 버렸다!"

여기저기에서 비명이 터져 나온다.

후두두둑!

잠시 후 하늘에서 피와 살점이 비처럼 쏟아진다.

"……흠."

나는 잠시 서서 몸 상태를 확인했다. 미스릴 갑주에는 흠집 하나 없지만, 고블린의 피와 살점이 덕지덕지 붙는 것마저 막지는 못했다.

"뭐 상관없지."

어차피 몬스터들은 죽고 시간이 지나면 드랍 템만을 남기고 먼지로 변해 흩어져 버린다. 내복까지 고블린 피에 푹 절어 찝찝하지만 잠깐의 문제일 뿐이다.

"싸우나? 싸우나? 저거랑 싸우나?"

"우리 엄청 많다! 숫자로 밀어붙이면 된다!"

"그러면 네가 먼저 좀 가 봐라 네가!"

주변을 보니, 나를 중심으로 빙 둘러 떠들고 있는 고블린들이 눈에 들어왔다. 여전히 악을 쓰고 살의를 불태우고 있지만, 그것들은 틀림없이 겁에 질려 있다.

"뭘 멍하니 보고 있어?"

피식 웃으며 검을 들어 올린다.

[확신의 검(고급)+9].

무기 데미지 +12(+15)

근력+1(+8) 생명력+1(+7)

재질 : 철

무게 : 2.1킬로그램

특수 효과 : 소울 콜렉터(중급)

첫 9강 무기다. 내가 직접 강화한 것은 아니고 그냥 누가 강화한 걸 사 버렸다.

'희귀급으로 맞추고 싶었지만…….'

그러나 안타깝게도 희귀 무기를 맞추기에는 단가가 안 나온다.

고급 장비는 10다이아(천 원). 비싸 봐야 20다이아(이천 원)로, 거래소 최소 비용인 10다이아랑 비교해도 큰 차이가 없었다.

비해 희귀 무기는 최소 800다이어(팔만 원)에서 4500다이아(사십오만 원)의 시세를 가지고 있었기 때문이다.

심지어 이것들은 노강 기준의 시세다.

'아니 왜 이렇게 비싸. 미친놈들 아님?'

시세가 이렇게 형성되었다는 건 누군가 이 무기들을 산

다는 말인데 그게 도저히 납득이 안 된다.

'어차피 무기는 하나밖에 못 쓰는데. 하, 영웅 전설 등급도 있는데. 하.'

늘 새로운 리벤지의 가격대에 고개를 절레절레 흔들며 움직인다.

내공 주입(액티브)(희귀).

웅!

몸 안에 있는 내공이 절로 움직여 확신의 검에 깃든다. 그뿐이 아니다.

경기공(액티브)(일반).

단전의 진기가 피부를 휘돌며 육체의 강도를 높인다.

쾌륜공(액티브)(고급).

단전의 진기가 온몸으로 퍼져 나간다.

"후."

온몸에서 힘이 끌어 오르는 것만 같다. 물론 그만한 소모도 있어 전체 마나의 10% 이상이 깎여 나간 상황.

그러나 상관없다.

내가 왜 희귀 6강이 아니라 고급 9강을 들었겠는가? 아무리 고급이라도 9강까지 가면 희귀 6강과 맞먹을 정도의 가격을 자랑하는데 말이다.

바로 9강 때 붙는 특수 효과 때문이다.

[소울 콜렉터(패시브)(중급)]
적을 해치울 때 일정량의 마나가 회복됩니다.

장비에 붙는 특수 효과는 동일 효과라도 장비 등급에 따라 성능이 다르다. 일반 등급의 장비는 하급 소울 콜렉터가, 희귀 등급의 장비는 상급 소울 콜렉터가 붙는 식.

그러니까 엄밀하게 말하자면 확신의 검에 걸린 소울 콜렉터는 그리 높은 등급이라 말하기 어렵다. 문자 그대로 달려 있기만 한 수준.

그러나 소울 콜렉터쯤 되는 효과는 달려만 있어도 전투에 유의미한 영향력을 발휘한다.

특히나 나처럼 마나통이 작은 전사 계열에게는 더더욱 그러하다.

좌악!

일격에 세 마리의 고블린이 잘려 나간다. 검 끝으로 느껴지는 저항감이 거의 없다. 마치 두부에 칼질을 한 듯 부드러운 감각은, 내가 뼈와 살로 이루어진 생명체를 벤 것이 맞는지 의심을 하게 만들 정도다.

쿵!

땅을 내딛는다. 자세를 단단히 잡아야 한다. 힘이 어찌나 강한지 검을 휘두르면, 그 힘에 내 몸이 끌려 갈 정도였기 때문이다.

콰자작!

정면으로 달려들던 고블린이었던 것의 뼈와 살이 흩뿌려진다. 자욱하게 피 안개가 일어남과 동시에, 달려들던 고블린들이 비명을 지르며 발을 멈춘다.

“칼질 한 번에! 칼질 한 번에!”

“뭐냐? 뭐냐? 이게 뭐냐?”

나는 녀석들이 기겁하거나 말거나 차오르는 마나를 확인했다.

“효율 괜찮은데?”

소모된 마나의 반절가량이 차올랐다는 사실에 절로 미소가 피어오른다. 이 정도면 내공 주입을 더 팍팍 사용해도 괜찮을 것 같다.

퍽퍽!

“으악!”

“꿱!”

느닷없는 비명 소리에 고개를 돌려보니 철갑 코뿔소 스팅이 덤벼드는 고블린들을 뿔로 치고 짓밟는 모습이 보인다.

고블린들은 스팅의 옆구리나 다리에 매달려 단검을 휘둘렀지만 강철 비늘로 뒤덮인 스팅의 몸에는 상처 하나 생기지 않는다.

“역시 탑승형이라도 싸울 수 있군. 하긴 살아 있는 생물이면 당연하지.”

그리고 그걸 확인했으니 스팅이 할 일은 이제 끝. 나는 스팅을 돌려보내고 새로운 펫을 꺼냈다.

〈축복의 파랑새 푸르푸르(희귀)가 소환됩니다!〉

〈푸르푸르가 여행자의 축복을 사용합니다!〉

〈모든 스텟이 20포인트만큼 상승합니다!〉

〈버프 유지 시간 4:59〉

커다란 덩치를 가지고 있던 스팅과 다르게 이번 펫은 손바닥만큼이나 작은 크기를 가지고 있다.

버프형 펫 푸르푸르.

희귀급인 만큼 제법 강한 버프를 부여한다. 물론 중간중간 쿨 타임이 있다는 게 문제지만…… 대신 녀석에게는 다른 기능이 하나 있다.

포로롱!

통통한 외형과 어울리지 않는 속도로 고블린들 사이를 가로지른 푸르푸르가 바닥에 떨어진 고블린족 인장 위에 올라선다.

팟!

그 즉시 고블린족 인장이 인벤토리로 이동된다.

그렇다. 푸르푸르는 드랍템을 파밍해 주는 펫. 버프형

들이 흔히 가진 기능이다.

파앙!

다시 검이 움직이자, 네 마리의 고블린들이 가로로, 혹은 대각선으로 잘려 나가 바닥에 널브러진다.

치명타는 뜨지 않는다.

'허리를 잘라 두 동강을 내 줬는데 이게 치명타가 아니라니.'

헛웃음이 나왔지만 내가 패치를 할 것도 아니니 이대로 적응해야 한다.

꾸득!

전신 근육을 조인다. 신경세포를 가닥가닥 인식하여 통제력을 높인다.

[불가해한 신체 제어].

나는 내 심장을 1초에 10번 뛰게 할 수 있고 반대로 1분에 한 번 뛰게 할 수 도 있다. 남근을 손가락처럼 움직일 수도 있고 성대를 제어해 마치 앵무새처럼 다른 소리를 따라 할 수도 있다.

이 불가해한 능력 덕분에 난 인간이라면 휘둘릴 수밖에 없는 괴력을 어려움 없이 통제할 수 있었다.

"동시에 덮치자! 넘어트리기만 하면 된다!"

"괴물 인간! 그래도 하나다! 그래도 하나 밖-."

쐐엑!

[치명타!][치명타!][치명타!][치명타!][치명타!][치명타!]

여섯 개의 머리가 하늘로 떠오른다. 아까 같은 직선의 검로가 아닌, 부드럽게 휘어져 목을 잘라 내는 뱀과 같은 검로다.

그리고 그 결과.

[고수의 간합] X 6.

버프창에 아이콘이 하나 추가된다.

쿵!

확인과 동시에 땅을 박찬다. 더 이상 덤벼들지 않는 고블린들을 향해 뛰쳐 나간 것이다.

콰악!

머리가 땅에 떨어지고 피가 솟구친다. 검을 휘두르면 매서운 검풍에 바닥의 돌과 나뭇잎들이 휘말려 날아오른다.

가속한다.

수백 수천의 고블린 무리 한가운데까지 뚫고 들어갔

다. 버프가 풀로 차오른 것을 확인하고, 전력으로 검을 휘두른다.

짜--- 악!

공기가 찢어지는 소리와 함께 칼이 닿는 범위에 있던 모든 고블린들이 박살 나 흩뿌려진다.

그뿐이 아니다.

박살 난 고블린들의 피와 살점이 부채꼴 모양으로 뿌려지며 수십의 고블린들이 우르르 쓰러진다.

"와."

피와 살점의 바다 한가운데에서 신음한다.

"이게 검을 휘두른 소리라고?"

"악! 귀! 귀가 아프다! 안 들린다!"

"가슴팍에…… 가슴팍에 뼈가 날아와 박혔다! 아프다! 너무 아프다!"

TV나 마이튜브 등에서 봤던 소드 마스터들의 검술 시연과는 전혀 다르다. 그들이 사용하는 검기는 질량이 없고 극도의 예리함을 갖추고 있었기 때문이다. 아무리 거대한 범위로 휘둘러도 핑. 정도의 소리밖에 나지 않는 것.

그러나 내 경우는 전혀 다르다.

전력으로 검을 휘두르니 공기가 찢겨 나가고 굉음이 터진다. 온전한 물리력으로만 검을 휘둘렀기에 일어난 결과였다.

내공 수련자가 아니라 생체력 수련자들이 흔히 보이는 요란함이다.

'뭐, 그래도 나쁘지 않은데. 거칠고.'

그렇게 생각하며 호흡을 고른다.

"후우…… 후우…… 후우…… 헉헉."

호흡이 가쁘고 숨이 넘어갈 것 같다. 나는 파들파들 떨리는 손으로 힐링 포션을 꺼내 마셨다.

상처라고는 검을 휘두른 손끝이 파랗게 멍든 정도가 전부니, 사실상 갈증 해소용으로 마시는 것이다.

힐링 포션은 상점에서 저렴한 가격에 팔고 있고 200~300개씩 들고 다녀도 괜찮을 정도로 가볍기 때문에 물 대신 마시곤 한다.

"하아…… 하아…… 후. 다 좋은데 체력이 완전 조루네."

레벨 업 보너스와 장비 스텟을 근력과 생명력에 몰아넣었기에 칼 몇 번 휘두른 것만으로 체력이 다 날아가 버린다. 일반적인 단련으로는 있을 수 없는 극단적인 신체 능력.

파탄은 바로 드러난다.

"지쳤다? 지쳤다. 지쳤다!"

"괴물 인간 멈췄다! 안 도망쳐도 된다!"

"회복되기 전에 덮치자! 넘어트리자!"

사방으로 흩어져 눈치만 보던 고블린들이 다시 슬금슬금 모여들기 시작한다. 나는 검을 들어 올렸지만, 검을 든 손이 부들부들 떨린다. 체력이 완전히 바닥 난 상황.

그러나 당연히 문제는 없다.

"로그아웃."

편의점으로 돌아온다. 나는 카운터 안쪽에 있는 의자를 꺼내 앉았다.

"아이고…… 힘들다."

체력이 바닥까지 떨어져 죽을 맛. 그러나 한계까지 육체를 쥐어 짠 대가는 달콤했다.

[알 수 없는 이유로 체력이 1포인트 상승하였습니다!]

"그래…… 체력은 이렇게…… 올리자……."

한 30분 정도 그렇게 앉아서 휴식을 취했지만 몸 상태가 쉽게 나아지지 않는다.

온몸에 힘이 없고 조금만 움직여도 팔다리가 부들부들 떨리는 것이 도저히 전투를 이어 나갈 수 없는 상황!

그러나.

"연어덮밥 하나랑 한라산 김밥 세 줄 알오토 주스 하나 주세요. 번번 각성제는 4시간짜리로 주시고요. 여기 허

가증이랑 캐시백 쿠폰. 그리고 확인 카드요."

"네네."

편의점 알바를 수행하기에는 충분한 몸 상태다. 몸에 기운이 없어 늘어지지만 고작 이걸 못 참을 정도로 안이한 삶을 살아오지 않았다.

"아이고, 힘들다."

앓는 소리를 내며 알바를 계속하는데 한 남성이 편의점 문을 열고 들어온다. 스마트폰으로 통화를 하는 사내의 입에 담배가 물려 있다.

"어어. 그 새끼 뒤지고 싶어서 엄청 깝치더라고. 그래서 내가."

"손님."

나는 편의점에 들어오려는 사내를 슬쩍 막아섰다.

"실내는 금연입니다. 끄고 들어오세요."

"아니 씨발 정화 마법 한 번 돌리면 되는 걸 왜 길을 막고 지랄……."

얼굴을 일그러트리며 고개를 돌렸던 사내가 내 모습을 보고 멈칫한다.

나는 싱긋 웃어 주었다.

"금연."

"아…… 네. 실내 흡연은 문명인이 할 짓이 아니죠. 하하하!"

사내가 냉큼 담배를 끄고 선량하게 웃는다.

녀석은 매너 있는 태도로 물건을 사고 편의점을 떠나갔다.

“그래. 이게 정상이지.”

나는 190이 넘는 신장에 전신이 근육으로 가득 찬 거구의 사내다. 날 보고 진상을 피울 수 있는 건 개념이 없는 미친놈이나 부모자식도 못 알아볼 정도로 퍼마신 취객뿐이리라.

“아, 그런데 오늘은 특히 벌크업이 심하네.”

거울을 보니 당장이라도 터져 나갈 듯 팽팽한 유니폼이 가장 먼저 눈에 들어왔다. 온몸의 근육이 잔뜩 부풀어 안 그래도 큰 덩치가 더 커져 있다.

“근력이 원인인 듯한데…….”

앞으로는 좀 더 넉넉한 사이즈의 옷을 사야겠다고 생각하며 입을 가린 후 속삭인다.

“로그인.”

고블린들이 나를 포위한 채 슬금슬금 다가오고 있다.

벌컥벌컥.

녀석들이 더 다가서기 전에 포션을 마신다.

우걱우걱.

샌드위치(일반)을 먹는다.

[샌드위치(일반)를 섭취하였습니다! 1시간 동안 생명력, 회복력이 5포인트 상승합니다!]

"로그아웃."

편의점으로 돌아간 나는 입에 가득 머금고 있던 샌드위치를 씹어 삼키며 자리를 지켰다. 종종 자동 사냥을 하고 있던 캐릭터의 인벤토리를 정리하고 일일 퀘스트와 메인 퀘스트. 그리고 이벤트 등을 진행했다.

웅녀철강에서 작업을 할 때나 스타게이트에서 기도 일을 할 때는 게임 화면을 볼 여유가 별로 없기 때문에 직접 플레이해야 하는 부분들은 편의점에서 다 해결하는 편이다.

"형! 저 왔어요! 방가방가!"

평소와 다르게 싱글벙글한 세한의 모습에 물었다.

"신났네. 뭐 좋은 일이라도 있어?"

"네! 저 4클래스 찍었어요!"

"뭐? 와. 대단한데?"

깜짝 놀라 세한을 돌아보았다. 4클래스라니 아르데니아에서는 대마법사로 불릴 법한 경지다. 물론 지구에선 그 정도는 아니지만 그렇다 하더라도 21살에 4클래스면 절대 흔한 수준은 아니겠지. 4클래스 마법사 자체야 흔해 빠졌지만 그것은 5클래스의 [벽]에 막혀 평생을 주저

앉는 마법사들이 많기에 벌어진 현상.

고작 21살에 4클래스라면 마법사 중에서도 0.1% 안쪽에 들어갈 재능인 것이다.

“운이 좋았어요. 각인 주문을 연구하다가 제 마력에 적용을 해 봤는데 논문에도 없던 효과가 생기더라고요.”

“우리 편의점에 이런 인재가 있는 걸 몰랐네. 그럼 알바는 그만두는 거야?”

“그건 아니죠. 강철거인 마탑 접수는 1월부터기도 하고 경지도 수습해야 하고요. 게다가 이 편의점이 손님이 많지 않아서 공부하기 좋거든요.”

실실 웃는 녀석의 말에 문득 한 가지 생각이 들었다.

‘아, 내 영지에 이런 인재 하나 있으면 얼마나 좋을까.’

4클래스. 심지어 인챈트가 특기에 파괴 마법도 교양으로 익힌 마법사라니 그야말로 꿈에서나 나올 법한 인재다. 이런 녀석 하나만 있어도 군대의 전투력이 차원이 달라질 텐데.

‘이상은 높은데 현실은 2클래스여. 하, 스마일 놈 왜 3클래스를 못 찍니…… 나이도 서른이 넘는 놈이.’

내심 투덜거리며 교대를 마친다. 그리고 옷을 갈아입은 후 웅녀 철강으로 이동할 때 즈음.

나는 체력이 어느 정도 회복되었다는 사실을 깨달았다.

"좋아, 로그인."

전장으로 돌아온다.

"죽여! 얼른! 빨리! 힘을 차리기 전에 뭐라도 찔러 넣자!"

"일단 넘어트려! 다리에 매달려! 팔을 잡아당기자!"

"땅을 파서 묻어 버리자!"

어느새 고블린들이 코앞까지 몰려 와 있다. 내 체력이 회복되기 전에 어떻게든 죽여 버리겠다는 살의가 제법 매서웠다.

그리고 그 살의에 마주한 나는.

"하하하!"

웃음이 나온다. 힘을 주자 온 몸의 근육이 꽈드득 조여진다.

"덤벼라!"

자세를 낮춰 단단히 땅을 디딘다. 어느 정도 회복된 근육에 힘이 들어가는 것을 느끼며.

짜--- 악!

검을 휘두른다.

"악!?"

"끄아악!!"

모여들던 고블린들이 육편으로 변해 흩뿌려지자, 바글바글하던 놈들이 깜짝 놀라 뒷걸음질 친다.

"악! 밀지 마! 밀지 마!"

"악! 팔이 날아와서 내 머리를 때렸다! 팔이!"

순식간에 빽빽하던 포위망이 헐거워지고 공간이 마련된다.

나는 드러난 공간으로 나아가며 검을 계속 휘둘렀다. 이번에는 힘을 빼고 고블린들의 목만 깔끔하게 잘라 낸다. 체력 배분을 위해서다.

"괴물! 괴물! 회복이 너무 빠르다!"

"벌컥벌컥, 우걱우걱하더니 회복했다!"

"싸우나? 도망치나? 도망친다!"

"하지만 하나다! 우리는 많다!"

나는 우왕좌왕하는 고블린들을 계속 베어 넘겼다.

다섯, 열, 스물, 마흔!

백, 백오십, 이백, 삼백……!

나는 탈진할 때까지 검을 휘두르고 포션을 마셨다. 그리고…….

"로그아웃."

웅녀 철강에 도착한다. 작업장에 있는 세탁기에 내 옷을 집어넣고 작업복으로 환복한다.

"오우. 한 씨, 생체력 수련해? 근육이 어마어마하구먼."

"하하, 뭐."

"이능 수련도 좋지만 그래도 일해야 하는데 너무 과하게 하지는 마. 많이 피곤해 보이네."

철판을 나르거나 인챈터들의 작업을 보조한다. 평소와 다를 바 없는 일과였지만 계속 지쳐 있으니 업무 효율이 떨어지는 것은 어쩔 수 없는 일이었다.

"한 씨, 오늘 컨디션이 영 안 좋아 보이네."

"하하, 그러네요. 병원에라도 한 번 다녀와야 하나 봐요."

평소와 달리 작업 중에 핀잔까지 들어야 하지만 그만한 보람이 있었다.

[레벨 업!]

37레벨이 되었다. 고블린 수천 마리를 죽인 결과였다.

"사냥 시간으로 치면 게임 캐릭터보다 훨씬 빠르네."

어떻게 생각하면 당연한 일이다.

일반 클래스, 일반 수호령, 일반 펫, 고급 장비를 장착하고 사냥하는 캐릭터들과 아르데니아의 나 사이에는 어마어마한 차이가 있다.

리벤지 속 캐릭터들이 일일 퀘스트와 메인 퀘스트 등의 보상을 받고, 그 보상이 꽤 크다 해도 사냥 속도가 이 정도로 차이가 나면 결국 따라잡힐 수밖에 없겠지.

"수고하셨습니다!"

"모두 고생하셨습니다!"

모든 작업을 끝낸 나는 건조까지 끝난 사복으로 갈아입고 스타 게이트로 향했다.

아르데니아로 가서 고블린을 잡는다.

기도 일을 마치고 편의점으로 향한다.

다시 아르데니아로 가서 고블린을 잡는다.

웅녀 철강으로 간다. 아르데니아로 간다. 스타 게이트로 간다. 아르데니아로 간다. 편의점으로 간다. 아르데니아로 간다…….

"헤이~! 미스터 한. 요즘 무슨 일 있어요? 엄청 아파 보여요."

기도 일을 마치고 유니폼을 갈아입는 내게 한 여인이 다가온다. 스타 게이트에서 가장 인기 있는 DJ이자 인터넷 방송인이기도 한 스칼렛이다.

"아픈 건 아닙니다. 그냥 좀…… 지쳐 있을 뿐이지요."

적당히 대답해 준다. 그러나 그러면서도 의문을 가졌다.

'왜 친한 척이지?'

클럽 기도와 DJ. 어쩌면 직장 동료라 할 수 있는 관계지만 스칼렛과 나는 통성명도 한 적 없는 사이다. 출퇴근

때 우연히 마주치면 눈인사나 하는 정도였는데 먼저 다가올 줄이야.

"좀 지친 정도가 아닌 데요? 당장이라도 쓰러질 것 같아요."

걱정된다는 표정으로 다가온다. 아닌 척하는 시선들이 한순간 모여드는 것이 느껴진다.

170센티미터라는 훤칠한 키. 탄탄하게 관리된 늘씬한 몸매. 제 것인 양 어울리는 검청색의 머리칼. 전문 코디네이터가 붙어 골라 주는 의상까지.

'아이돌 출신이라 했지.'

흔치 않은 미녀다. 아쉽게 충분한 인기를 끌지 못해 팀이 해체되고 이렇게 클럽 DJ나 하고 있는 신세지만 그것이 그녀의 미모가 부족해서 벌어진 일이 아님은 분명하다. 레드오션 중의 레드오션인 게 바로 연예계라는 마경이 아니던가?

"괜찮습니다. 요새 다른 일정이 좀 있어서."

다음 알바를 가야 했기에 적당히 대답하는 내게 스칼렛이 한 발짝 다가선다. 그리고 작게 속삭인다.

"분명 무공을 익힌 것 같았는데요. 경지도 입문자밖에 안 되어 보였고."

"……."

몸을 돌리려던 나는 발걸음을 멈췄다.

그런 나를 보며 스칼렛이 웃는다.

"그런데 이제 보니 좀 달라 보여요. 혹시 생체력도 익히셨나요?"

"……무슨 용무입니까?"

스칼렛과 마주 선다. 그제야 나는 지친 육신 때문에 늘어져 있던 정신을 바짝 세워 그녀를 [가늠]할 수 있었다.

'이건, 제법이군. 제법 고위 능력자 같은데…… 무공은 아니다. 생체력? 아니다. 마법도 아니고…… 오오라도 아니고.'

답은 이내 나왔다.

'차크라 수련자다.'

고작 클럽에 이만한 능력자가 있을 줄은 몰랐다.

"너무 무서운 표정 짓지 말아요. 뭔가 대단한 용무가 있어서 그런 건 아니고 그냥 호기심이 들어서. 앗! 혹시 뭐 비전 같은 건가요? 생체력하고 내공을 같이 익히는 건 미친 짓이라던데. 이게 그 말로만 듣던 외공인가요?"

지구에 살아가는 대부분의 인간은 이능력자다.

10살이 넘으면 가까운 시청에서 강제 각성을 받을 수 있기 때문이다. 아무리 재능이 없어도 상관없다.

영적 장애인이나 다름없는, [폐급 마나 적성]의 나조차도 내공은 깨우쳤을 정도니까.

'나도 생체력 각성을 하고 싶었지.'

사실 내 육신은 반쯤 생체력 수련자나 다름없는 상태다.

불수의근을 의지대로 조절할 수 있고 뇌 속의 호르몬마저 조절할 수 있는 게 어떻게 일반인이겠는가?

때문에 나는 강제 각성을 신청할 때 보험도 안 되고 지원도 못 받는 생체력 각성을 선택했다.

이미 생체력 수련자나 다름없는 육신이 생체 인자를 받아들여 진화한다면 더더욱 강해질 것이라 믿었기 때문이다.

'하지만…… 실패했다.'

난 생체력에 입문하기 위해 반드시 필요한 과정. [생체 진화]부터 막혔다. 조금의 마나 적성도 없는 이 폐급 육신은 200만 원이 넘는 생체 인자를 받아들여 진화하는 대신, 그것을 소화시켜 똥으로 싸 버렸다.

"내가 대답해야 합니까?"

나직한 목소리에 스칼렛이 깜짝 놀라 손을 내젓는다.

"엑? 아, 아니 왜 정색을 하고 그래요? 하하하! 미안해요. 나는 그저."

그렇게 말하며 스칼렛이 내 손을 탁 잡는다. 사과라도 하는 태도.

그리고 그 순간.

팟!

스칼렛의 모습이 사라졌다.

"어?"

"어라?"

대화하는 우리들의 모습을 훔쳐보던 웨이터들이 신음소리를 낸다. 나 역시 약간 놀라서 고개를 돌렸다.

그리고 발견한다.

복도 모서리 끝에 붙어 있는 스칼렛의 모습을.

'놓쳤다. 이렇게 빠르다고?'

내가 내심 신음하는 사이 뒤늦게 스칼렛의 모습을 발견한 사람들도 놀라 웅성거렸다.

"어, 저기 있다!"

"지금 한순간에 저기까지 이동한 거야? 와 맙소사!"

사람들이 떠들거나 말거나 스칼렛은 마치 거미처럼 천장과 벽 사이에 붙어 나를 바라본다.

잘 관리되어 있던 그녀의 머리칼이 헝클어져 있는데, 겁에 질린 고양이처럼 온몸의 털이 바짝 일어나 벌어진 참사인 듯했다.

"이게…… 무슨…… 말도 안 돼. 어떻게 이런 차크라가……?"

"뭡니까?"

태연한 대답에 크게 확장된 동공으로 나를 바라보던 스칼렛이 조용히 바닥에 내려선다. 그녀는 즉시 바닥에 납작 엎드렸다.

"죄송합니다!"

"그러니까 뭐 하는 거냐고요."

"아, 이, 이런 것도 불편하시겠네요. 죄송합니다."

후다닥 일어난 스칼렛이 꾸벅 고개를 숙인다. 느닷없이 변한 태도에 의문이 들었지만 슬슬 다음 알바 시간이 다가오고 있다.

"됐습니다. 퇴근이나 해요."

휘휘 손을 내젓고 몸을 돌린다. 그녀의 태도에 호기심이 치밀었지만 여기서 내가 '왜 이렇게 놀랐어요?'라고 캐물을 생각은 들지 않았다. 내가 스스로의 상태에 대해 정확히 모른다는 정보를 넘겨 줄 수 있었기 때문이다.

'뭘 느낀 거야? 설마 리벤지 시스템을 느낀 건 아니겠지?'

그러나 좀 다른 느낌이다.

'어떻게 이런 차크라가. 라고 했어.'

그러나 말이 안 되는 이야기다. 나는 차크라를 수련한 적이 없기 때문이다. 강제 각성을 시도했지만 실패했다. 최종적으로 내게 주어진 선택지는 가장 범용적인 힘. 내공과 마력뿐이었다.

'차차 알아봐야겠다…… 하. 가뜩이나 피곤한데.'

투덜거리며 편의점으로 향한다.

고블린을 닥치는 대로 쳐 죽이며 지구를 오간 지 어느

새 50시간.

그러나 그것은 지구에서의 시간일 뿐 아르데니아에서 보낸 시간은 고작 4시간에 불과하다.

체력이 어찌나 조루인지 조금만 싸워도 그보다 훨씬 긴 시간을 쉬어야 한다. 심지어 그 '쉬는 시간'마저도 현실의 근무 시간이기에 계속 피곤한 상태.

대신 그만한 보상은 있었다.

[알 수 없는 이유로 체력이 1포인트 상승했습니다!]

'체력 계속 오르네. 이건 진짜 꿀이다.'

레벨 업, 스텟 상승은 남자라면 미쳐 날뛸 수밖에 없는 보상이다. 아무리 공부를 싫어하는 학생이라도 공부할 때마다 레벨이 오르고 지능 스텟이 상승한다면 공부에 미친놈이 될 것이다.

'겨우 50시간에 체력이 5나 오르다니!'

체력 뽕맛이 어찌나 강력한지 매번 한계까지 검을 휘두르다 지구로 돌아올 수밖에 없었다.

그러나 그것도 이제 한계.

슬슬 작업을 하며 꾸벅꾸벅 졸 정도니 다른 수를 마련해야 한다.

'하, 알바를 하나 취소해야 하나?'

잠시 그런 생각이 들었지만 이내 고개를 흔들었다. 아직 과금해야 할 게 한참인데 알바를 줄일 수는 없기 때문이다.

그리고 무엇보다.

'아르데니아에서 나는 늙지 않는다.'

나는 20대에 아르데니아로 넘어가, 20년을 살았다. 그럼 40대라는 말인데 그 누구도 나를 그 나이라고 생각하지 못한다. 처음 아르데니아로 넘어갔을 때와 똑같은 외모이기 때문이다.

어디 그뿐인가? 수염도 제대로 자라지 않았고 손톱도 자라지 않았다. 칼을 맞거나 고문을 당해 손톱이 빠지거나 하는 '외부적 요인'만이 육체를 변하게 만들었다. 뽑힌 손톱은 원래 길이까지 자라지만 그 이상은 자라지 않는 것!

그러나 지구에서는 다르다.

하룻밤만 자고 일어나도 수염이 까끌까끌하게 자라난다.

'20년 동안 잊고 살았지만…… 원래 이 정도 속도로 수염이 자랐었지.'

아르데니아에서와 다르게 지구에서는 육신의 시간이 정상적으로 흐른다는 말이다.

즉.

'나는 지구에서만 늙는다.'

그걸 알고 나니 지구에서 잠을 자는 게 억울해진 상태다. 지구에서의 시간은 한정되어 있고 아르데니아에서의 시간은 무한대라면, 가급적 잠은 아르데니아에서 자는 게 이득이리라.

"결국 답은 하나네. 로그인."

나는 아르데니아로 들어섰다.

"죽여! 죽여! 죽여!"

"네가 죽여라, 네가!"

"괴물! 괴물 인간!!"

멀찍이에서 악을 쓰는 고블린들의 모습이 보인다. 완전히 겁에 질려 덤비지도 못하는 상황.

나는 지금까지처럼 녀석들에게 달려드는 대신 직업을 바꿨다.

★☆전직 완료☆★

[베리언트 레인저(영웅)]

근력+80 민첩+160 체력+80 생명력+40 마나+40

[사거리 50% 증가]

[어둠의 관측자]

클래스 체인지와 동시에 땅을 박찬다.

“어!? 어!? 괴물 인간 도망간다!”

“잡아라! 잡아! 포위해!”

“앞에서 막아라! 앞에서!!”

여기저기에서 악을 쓰는 소리가 들렸지만 녀석들과 하도 싸우다 보니 고블린의 습성을 알 수밖에 없었다.

‘입만 산 것들.’

목이 터져라 악을 쓰지만 죄다 선동의 목소리일 뿐, 스스로 움직일 생각이 없다. 머리에 피가 오르면 자신의 목숨 따윈 아랑곳하지 않는 미친놈들이지만 여유가 생기면 누구보다 더 머리를 굴리는 몬스터가 바로 고블린이었다.

[중급 은신(패시브)이 발동합니다!]

고블린 무리에서 벗어나 숲을 달리던 난 어느 순간 내 몸이 반투명해졌다는 사실을 알게 되었다.

베리언트 레인저의 직업 특성. [어둠의 관측자]가 가진 효과였다.

“인간! 인간 어디 있나!?”

“찾아! 찾아라! 이번에야말로 지쳤다!”

“아까도 지쳤을 거라고 아까도!!”

나무 옆에 서 있는 내 옆으로 고블린들이 지나간다. 나는 슬쩍 손을 내밀어 녀석들 앞으로 흔들었다.

그래도 모른다.

'이것 봐라? 생각 이상으로 효과가 좋은데?'

나는 수색을 시작한 고블린들을 거슬러 포위망을 벗어났다. 그리고 그렇게 1시간 정도 걷자 고블린들의 포위망에서 완전히 벗어날 수 있었다.

"하아……."

나는 주변이 잘 보이는 언덕으로 이동해 바위 사이에 몸을 밀어 넣었다. 은신은 여전히 유지되고 있다. 마나가 소모된다거나 하는 일도 없다.

'하긴 특성 설명에도 [1분 이상 관측되지 않을 시 코스트 없는 중급 은신.]이라고 쓰여 있었지.'

거기까지 생각하고 나자 급격히 수마가 밀려온다.

"아이고…… 이것 참…… 사서 고생……."

몬스터가 드글드글한 용맥의 어느 지점.

불편한 자리에서 불편한 복장으로.

나는 까무룩 잠들었다.

* * *

대우주에는 존재하는 수많은 문명들 중에서도 지구(Earth)는 제법 특이한 케이스에 속한다.

본래 지구는 우주에 널리고 널린 변방에 불과하던 행성.

그러나 우연히 창조신의 이면이라 불리던 아수라와 우주적 존재들이 엮인 사건에 휩쓸리게 되면서…… 상황은 완전히 변한다.

사건의 원인은 전생(前生)을 거듭하며 우주의 멸망을 대비하는 세계의 씨앗, 신드로이아였고 최상급 신들 중에서도 강력하기로 유명한 마법의 신. 염룡(炎龍) 카인은 같은 일이 일어나는 것을 방지하고자 상상을 초월하는 답을 내놨다.

지구를 태양계째로 복사해 대우주 곳곳에 뿌려 버린 것이다!

한두 개도 아니고 무려 백 개의 행성계를 만들어 낸 것!

대우주에 1번 지구부터 100번 지구까지 생겨나게 된 이유다.

'기가 찬다. 아무리 최상급 신이라지만 그딴 일이 가능하다니…….'

다행인지 불행인지 몰라도 그 [복사]라는 것이 완전히 똑같은 지구를 만드는 방식은 아니었다고 한다.

어떤 지구는 벌써 3문명을 훌쩍 넘어 우주를 누비고 어떤 우주는 아직도 고대 시대. 어떤 지구는 엘프, 드워프 같은 아인종들이 존재하고 어떤 지구는 오로지 인류만 존재한다.

어떤 지구는 능력자는커녕 이능이라는 것 자체가 없고 어떤 지구는.

'거의 모든 인류가 이능력자지.'

우리 34지구는 100개의 지구 중 가장 부유하고, 강력하고, 평화로운 행성이다.

특히나 [어르신]이 잔뜩 있던 50년 전 즈음에는 온 우주가 34지구의 약진에 휘둘릴 정도였다.

그때의 34지구가 얼마나 무시무시했냐 하면 우주 최대 세력인 [연합]조차 쉽게 어찌하지 못하던 우주해적 [바사라]가 34지구 출신의 용병들의 등쌀에 못 이겨 그 세력이 반 토막 이하로 쪼그라들었을 정도라나.

물론 시간이 지나 많은 어르신들이 죽거나, 다른 문명으로 떠나 눌러앉거나, 혹은 게임 마스터가 지배하는 차원, [강철계]로 떠나 버렸지만 그럼에도 그들이 벌어들인 엄청난 부와 자원이 34지구에 축적되었다.

어디 그뿐인가?

34지구에는 문명을 수호하는 우주 유일의 최상급 신. [게임 마스터]가 존재한다. 인류를 감시하고 또 지켜 주는 정의신, 진실신, 명예신도 있었다.

'다른 지구, 다른 문명 출신들이 괜히 지구로 이주하고 싶어 하는 게 아니지.'

34지구는 안전하다.

34지구는 평화롭다.

34지구는 공정하다.

그러나 외부인들이 [게임신의 파라다이스]라 부르며 부러워하는 34지구라도 어둠은 있기 마련이다.

"……후우."

미스릴 전신 갑주를 입은 채 바위 틈 사이에서 깨어났다. 북방 특유의 칼바람에 몸이 으슬으슬 떨린다.

지금은 그나마 가을 즈음이니 이 정도지 겨울이 되면 영하 30도까지 떨어진다.

"와, 이러고 잘도 잤네."

입이 돌아가는 정도가 아니라 동사를 해도 이상할 게 없는 환경이었음에도 컨디션이 조금 안 좋은 것 말고는 괜찮다. 오히려 간만의 수면으로 정신이 말끔한 상황.

육신이 강화된 덕을 톡톡히 보고 있다.

뿌드득! 철컥!

가볍게 스트레칭하며 몸을 푼 뒤, 용맥의 한가운데로 움직이기 시작했다.

그리고 그러며 생각한다.

아르데니아로 들어서기 전의 나에게 지구는 지옥 같은 곳이었다. 어디에서도 환영받지 못했다. 나라는 인간은 아무짝에도 쓸모없는 인간 쓰레기였을 뿐.

그러나 이제 안다. 34지구는 충분히 파라다이스라고

불릴 만한 장소다.

극악(極惡)이 없는 세계.

다만 문제가 있다면…… 그 낙원이 완전히 정체되어 버렸다는 것이다.

"왜…… 나지?"

34지구는 계층 이동이 거의 없는 고정된 사회다. 원주민, 그러니까 어르신을 모시고 있는 집안과 그렇지 못한 이민자들과의 양극화는 이미 돌이킬 수 있는 선을 넘어서 버렸다.

풍요로운 복지 정책. 완벽에 가까운 치안으로 인해 느끼기 어렵지만 결국 나란 인간은 34지구에 존재하는 피라미드의 맨 아래에 깔려 있는 존재에 불과하다. 맨 아래 깔려 있는 존재조차도 살 만하다는 점에서 34지구는 파라다이스라고 할 수 있겠지만, 인간의 가치와 행복감이란 본디 상대적인 것.

그저 먹고 살 만하다고 34지구에서 나란 존재가 가지는 가치가 변하는 것은 아니다.

'그런데 그런 나에게.'

물리 법칙을 무시하고, 영능학조차 초월한.

하나의 세상을 창조한 것과도 같은.

이런 말도 안 되는 수준의 권능이 주어지다니?

"떠오르는 건 게임 마스터뿐인데."

누군가 내 말을 듣는다면 웃기지 말라고 비웃었겠지만 나로서는 그렇게 생각할 수밖에 없다.

그것도 그럴 것이, 게임이 아닌가?

대우주가 아무리 넓어도 이만한 일을 벌일 수 있는 존재는 그리 많지 않다.

'하지만.'

그러나 그럼에도 의문이 사라지지 않는다.

왜 하필 나란 말인가?

그리고 하필…… 이런 패키지 게임 같은 능력이라니?

답이 없는 고민을 하는 사이 영맥 한가운데에 도착했다. 은신의 효과는 훌륭해서 그 어떤 고블린도 날 발견하지 못했다.

그저 일반 고블린만 그런 것이 아니다.

붉은 송곳 고블린 샤먼(고급).

붉은 송곳 고블린 투사(고급).

붉은 송곳 고블린 레인저(고급).

던전에 가까워지자 모습을 드러내기 시작한 고급 등급의 고블린들 너머로 빛의 기둥이 보인다.

'저게…… 고블린 던전인가.'

[붉은 송곳 고블린 요새(일반~희귀)]

아직 거리가 상당했음에도 던전의 모습이 명확하게 보인다. 용맥 전체를 거대한 밀대로 밀어 버린 듯 평평해져 버렸기 때문이다.

평평한 용맥 한가운데 서 있는 빛의 기둥은 마치 쟁반 위에 박아 놓은 젓가락처럼 보인다.

스윽.

나는 근처에 있는 고목 하나에 올라 몸을 숨겼다. 중급 은신의 힘 덕분인지 고블린 샤먼도 고블린 레인저도 내 존재를 인지하지 못한다.

'저게 아직 점령되지 않은 상태의 던전이란 말이지.'

중립 던전.

아무도 정복하지 못해 '영지화'되지 못한 던전을 뜻한다.

이미 서비스 10년 차에 들어선 리벤지에는 중립 던전은 단 하나만이 남아 있다고 했지.

'천원에 위치한 [망령룡의 둥지].'

반면 아르데니아는 모든 던전에 주인이 없다.

먼저 먹는 놈이 임자라는 뜻이다.

우르릉!

그 순간, 던전에서 고블린이 쏟아져 나왔다.

나는 수백 마리씩 끊어서 나오는 고블린의 숫자를 세었다. 가늠하는 동시에 시간도 확인한다.

0000년 1월 24일 11시 30분.

그리고 약 천이백 마리의 고블린.

아르데니아는 베타 서비스라 부르기에도 많은 기능이 잠겨 있다. 퀘스트도 없고 이벤트도 없다.

심지어 시간도 아르데니아에 처음 시스템이 강림한 시점을 0000년 1월 1일 00시 00분으로 표시했을 정도니 더 말해 무엇 하겠는가?

아르데니아는 이제 막 가을을 향해 다가가고 있다는 걸 생각해 보면 이건 달력으로 쓰기에도 애매한 물건.

그러나 적어도

'이 시계는 중세 랜드에서 가장 정확하게 시간을 잴 수 있는 도구다.'

그저 표시되는 시간이 현실과 맞진 않을 뿐 정확하게 흐르고 있다. 우리가 고블린들을 죽인 시간과 나오는 시간을 비교하면 리젠 시간을 알 수 있다는 의미다.

'여섯 시간, 그렇군. 일반 몬스터가 부활하는 데 딱 여섯 시간이 걸린다.'

생각보다 짧은 시간이지만 리젠 위치가 용맥 한가운데에 있는 던전이니 용맥의 외곽이나 영맥에서 고블린을 죽이면 다시 그 얼굴을 보기까지 상당한 시간이 필요할 것이다.

[망자의 무덤에서 남궁일검 님이 암흑의 수호 반지(희귀)를 획득하였습니다!]

'오. 암흑반지네. 이름을 보아하니 명 제국 사람 같은데…… 망자의 무덤은 또 어디야?'

수호 반지는 아주 심플한 기능을 가지고 있는 희귀 장비들이다. 예를 들어 저 남궁일검인가 하는 녀석이 먹은 장비의 성능은 이러하다.

[암흑의 수호 반지(희귀)]
암흑 속성 저항+45%

리벤지에는 특정 속성을 가진 몬스터들이 존재하고 수호반지는 그런 몬스터들을 공략하기 위해 반드시 필요한 아이템이다.

수호 반지를 +9강하면 속성 저항이 90%가 되기 때문에 해당 속성의 몬스터 공략하기 쉽다고 한다.

당장 중요한 문제는 아니었기에 대충 기억만 하고 넘기려는 순간이었다.

"흑흑흑…… 이건 대…… 야. 허…… 에 이…… 글자……."

"!?"

어디선가 들려오는 가느다란 목소리에 깜짝 놀라 주변을 살폈다. 그러고 보니 용맥이 끝나는 지점에 마을 하나가 보인다.

용맥과 어느 정도 떨어져 있어 던전이 생기며 땅을 밀어 버릴 때 무사한 마을로 보였다.

팟!

가볍게 목책을 넘어 마을을 살핀다. 마을을 돌아다니는 수많은 고블린들을 지나쳐 집 안으로 들어서자 목소리의 주인들이 보인다.

"흑흑흑…… 언니 무서워요……."

"울지 마, 윈디야. 아빠가 구하러 올 거야. 아빠가……."

나는 계속 몸을 숨긴 채 마을의 모든 건물을 살폈다.

놀랍게도 모든 건물에 여성들이 억류되어 있다. 아무래도 고블린 녀석들이 여성들을 납치해 모아 놓은 모양이다.

'다들 별다른 상처가 없다. 잔뜩 겁에 질려 있지만…… 적어도 먹잇감은 아닌 거 같아.'

하긴 먹잇감으로 삼으려 들었다면 굳이 여성들만 납치할 이유가 없다.

하지만 먹잇감이 아니라면?

그녀들의 [사용처]는 너무나도 뻔하다.

'서둘러야겠다.'

언뜻 둘러봐도 수백이 넘는 숫자인데 나 혼자서 구하는 건 불가능하다. 그저 주변의 고블린을 다 쳐 죽인다고 해결되는 문제가 아니기 때문이다.

은신을 유지한 채 용맥 주변을 훑는다.

용맥의 넓이는 어마어마해서 쉽게 둘러볼 수 없어야 정상이지만 던전이 생기며 죄다 평탄화되었기에 조금만 높은 곳으로 올라가도 다 살필 수 있다.

'대신 적도 날 보기 쉬운 환경이네.'

은신이 없다면 던전을 정찰하기 힘들겠다고 생각하며 천천히 용맥을 빠져나왔다.

'병력 배치도 다 보았고…… 좋아, 이 정도면 충분하겠군.'

어느 정도 거리를 벌린 뒤 스팅을 소환한다.

〈철갑 코뿔소 스팅(희귀)이 소환됩니다!〉

"인간!? 어? 인간?"

"언제 인간이 여기까지?"

"왜 뒤에서 나타나?"

고블린들이 꽥꽥 소리를 지르거나 말거나 스팅의 등 뒤로 뛰어올랐다.

"잡아라, 잡아라!"

"강철 괴물에 강철 인간이 올라탄다! 잡아!"

"맞아! 왜 보고만 있냐?"

'펫을 소환하면 은신이 풀리네.'

그러나 상관없는 상황이었기에 스팅의 등을 탕탕 쳤다. 스팅이 기다렸다는 듯 땅을 박찬다.

쿠쿠쿵!

나와 스팅은 길을 막는 고블린들을 들이박고 짓밟으며 직선으로 이동했다. 놈들이 포위진을 만들려 들었지만 그러지 못한다.

왜냐하면 숫자가 모자라기 때문이다.

'아무리 리젠이 되어도 한계가 있지!'

내 병력들이 용맥 주변을 돌아다니며 고블린들과 전쟁을 벌이고 있고, 나 역시 수천의 고블린을 학살했다. 잠깐 잠이 들었다지만 그래 봐야 3시간 정도였으니.

그리고 그렇게 한참 달리다가.

"크르륵!"

스팅이 지쳐 발걸음이 느려지면.

〈명마 날파람(고급)이 소환됩니다!〉

고급 등급의 탑승 펫으로 갈아타 계속 달린다.

그리고 그렇게 내리 세 시간을 달린 끝에.

"영주님!"

"오셨군요!"

"이건 또 못 보던 말이……."

나를 반기는 수하들에게 다가가 말에서 내린다.

"문제는 없나?"

"순조롭게 진행 중입니다. 세 번 더 전투를 치렀고 사망자는 없습니다."

"개중 몇 조는 21레벨을 달성했습니다. 미리 말씀하신 대로 스텟을 찍도록 지시했습니다."

"레벨 업 속도가 제각각이군."

순간 의문이 들었지만 그럴 수도 있다는 생각이 들었다. 똑같이 전투를 치러도 누구는 고블린을 3마리 잡고 누구는 10마리 잡을 수 있기 때문이다.

"군율을 더욱 강조해라. 훌륭한 전공을 세워 레벨을 올리는 것도 중요하지만 전쟁의 본질을 잊어서는 안 될 거야."

잘 싸우는 건 물론 중요하지만 경험치 더 먹겠다고 아군과 드잡이질을 벌이면 이길 전투도 지게 될 것이다.

"네, 영주님."

"그래. 수고하고."

나는 인벤토리에서 고블린들을 학살하며 얻었던 아이

템을 우르르 쏟아 낸 뒤 내 전용 마차로 이동했다.

"깰 때까지 깨우지 마라."

너무 졸리고 피곤하다.

잠에서 깨자, 뭔가 커다란 것이 눈앞으로 슥 지나간다.

푸르륵!

"말……? 아…… 펫이구나. 소환 취소를 안 했네."

리벤지의 펫에는 소환 시간이라는 개념이 없다. 한 번 소환하면 계속 플레이어를 따라다니면서 정해진 행동 원리에 따라 제 역할을 하는 것.

아무래도 주인인 나에게서 멀리 떨어질 수 없는지 명마, 날파람은 머리를 마차 안으로 집어넣고 있는 상태였다.

우적.

날파람이 마차 한쪽에 준비되어 있던 감을 한입에 집어 먹는다. 나는 잠이 덜 깬 상태로 그 모습을 멍하니 바라보다 문득 깨달았다.

"음식을 먹는다……?"

생물인 이상 당연한 이야기지만 그게 또 리벤지에서는 그렇지 않다. 리벤지의 펫 시스템은 [스펙]이나 [도구]에 가깝다. 반려 동물이 아니니 음식을 먹는다거나 하는 디테일이 구현되어 있지 않은 것이다.

'아니…… 잠깐. 그러면 몬스터들은 어떻게 되는 거지?'

북방은 척박한 땅이다. 당장 브론즈 소드 남작령만 해도 서울시보다 더 넓은데 영지민은 고작 3,000명에 불과할 정도였으니 더 말해 무엇 하겠는가?

땅에 흙보다 바위가 훨씬 많고 기본적으로 건조하다.

대규모 농사를 지을 수가 없는 환경이니 만성적인 식량난에 시달릴 수밖에 없는 곳.

그런데 그런 내 영지에 혼자서 돼지 한 마리는 거뜬히 먹을 것 같은 덩치의 오크가 천 단위도 아니고 만 단위로 쏟아졌다면?

'지금쯤 다 굶어 죽었어야 할 상황 아닌가?'

그러나 지금까지 본 그 어떤 몬스터도 굶주린 기색을 보인 적이 없다. 오크도 그러했고 고블린도 마찬가지.

하지만 음식을 안 먹는다고 하기엔.

'펫도 음식을 먹는데 몬스터가 안 먹는다는 건 이상한데? 게임 설정이 불합리해도 일관성은 있었는데.'

잠시 앉아서 생각을 정리한다.

'잠깐. 스팅이 뭘 먹는 걸 본 적이 있나?'

그러나 곰곰이 생각해 보니 없다. 결국 차이는 하나뿐이다.

'소환 시간.'

마차를 가리고 있던 천을 걷자 마차에 머리를 들이밀고 있는 날파람을 어쩌지 못하고 쩔쩔매고 있던 병사가 경례한다.

"충성! 안녕히 주무셨습니까!"

"그래. 내가 얼마나 잤지?"

"하루 조금 더 주무셨습니다."

"많이 잤네."

녀석의 말에 생각을 정리한다.

'24시간…… 하지만 몬스터들도 현실에 나온 지 한 달은 되었어. 고블린 던전을 점령하면서 정확한 상황을 파악해야겠군.'

마차에서 내려 스트레칭을 하는 날 북방 특유의 쌀쌀한 공기가 반긴다. 마차 안은 따뜻했다는 걸 생각해 보면 스마일이 시간마다 보온 주문을 걸어 줬던 모양.

"고마워. 덕분에 푹 잤군."

내 말에 옆 마차에서 내린 스마일이 빙그레 웃는다.

"이게 제 일이지요. 보온 주문은 하도 익숙해져서 마나 소모도 적고요."

고작 2클래스라도 스마일은 우리 영지의 누구도 대체할 수 없는 인재다.

마법이란 인간의 의지로 물리 세계를 변화시키는 힘.

마법의 가치는 그저 전투력에 국한되지 않는다. 별다른 연료 없이 불을 피울 수 있고 바닷물에서 소금을 분리할 수도, 뜨거운 여름에 얼음을 얼릴 수도 있다.

그리고 무엇보다, 마법은 물질에 신비(神祕)가 깃들게 할 수 있다.

'슬슬 인챈트를 가르칠 때가 되었군.'

나는 마법사가 아니지만 그럼에도 상당한 마법적 지식을 가지고 있다. 모든 이능을 각성하는 데 실패하고 최종적으로 마법과 무공 중 하나를 택해야 하는 상황을 마주한 적이 있기 때문이다.

내가 영적인 장애인이긴 해도 머리가 나쁜 것은 아니다.

외우고 있는 심법만 해도 3개나 되고 서클링도 2개나 숙지하고 있다. 물론 둘 다 입문자까지만 깔짝 한 수준이지만, 그것만 해도 아르데니아에서는 비전(祕傳)이라 할 만한다.

"수레바퀴 마탑 출신이라 했지."

"네, 영주님. 부족하지만……."

"마나 제어술을 처음부터 죽 읊어 봐라."

내 말에 스마일의 실눈이 크게 떠진다. 어찌나 놀랐는지 눈동자가 다 보일 지경이다.

'아, 얘 눈이 초록색이네.'

어쨌든 그만큼 놀랄 일이긴 했다. 마법사의 지식은 천금 같은 가치를 가지고 있으니까. 목에 칼을 겨누고 물어도 답하지 않을 텐데 무슨 점심 메뉴 묻듯했으니 어찌 당황하지 않을까?

스마일은 대답도 못하고 잠시 입만 벌리고 있다가 이내 눈을 질끈 감았다 떴다.

“종이에 적어 드리겠습니다.”

녀석의 말에 내심 웃었다.

‘됐군.’

원래대로라면 어림없어야 할 요구임에도 별 말 없이 내 명에 따른다는 것은 녀석의 안에서 내 존재가 무거워졌다는 뜻이겠지.

물론 내가 못 알아볼 것이라 믿고 마나 제어술에 장난질을 칠 수도 있겠지만.

‘그렇게 된다면 녀석은 여기까지지.’

사각사각.

병사들이 간이 목책을 세우고 불을 피우고 멧돼지 고기를 굽는 동안 종이에 멈춤 없이 글자를 써 내려간다.

약 40분 후, 스마일이 양면에 빽빽하게 쓴 종이를 넘긴다.

“어디 보자…… 로그아웃.”

편의점으로 들어간다. 아르데니아에서 죄다 털어 냈기에 깨끗해진 인벤토리들을 자동 사냥으로 채우며 지식인에 접속한다.

[질문] 고뇌하는 여포(새싹) : 이민자 친구의 서클링이라는데 어떻게 방법 없을까요?

이민자 친구가 익힌 서클링을 보여 줬습니다. 이미 익힌 게 이거라 새 서클링을 배울 수도 없다고……

PS. 심지어 비전-_-이라고 알려 주길 꺼려하던 걸 보면 수정해서 알려 줬을 수도 있습니다.

그렇게 질문을 올리고 리벤지 홈페이지로 들어간다.

홈페이지 중앙으로 팝업이 뜬다.

[추석 이벤트] 늘 한가위만 같아라!

추석 연휴 기간 한정! 특별하게 드랍되는 아이템을 확인하세요!

1. 모든 몬스터에게서 일정 확률로 콩 송편(일반), 쑥 송편(고급), 오색 송편(희귀), 무지개 송편(영웅), 찬란한 옥토끼의 달빛 송편(전설) 드랍.

2. 달빛 쿠폰(모든 몬스터) 드랍. 마을의 특수 NPC 옥토끼에게 교환 가능.

3. 전 맵에 랜덤으로 일렙 토끼(일반), 십렙 토끼(고급), 백렙 토끼(희귀), 천렙 토끼(영웅), 만렙 토끼(전설) 출현.

사냥 시 막대한 경험치와 함께 엄청난 보상이 주어집니다!

"아, 추석이구만."

요새 정신없이 일만 하다 보니 시간 가는 줄 몰랐다.

"그나저나 이벤트…… 꽤 괜찮은데?"

리벤지는 이벤트를 끊임없이 하는 편이지만 그중에서 내가 참여할 수 있는 이벤트는 거의 없었다. 공성 이벤트, 월드 레이드, 전쟁 이벤트 등등 모두 나 같은 천민과 상관없는 콘텐츠인 것.

반면 이 추석 이벤트는 다르다.

'어떤 몬스터를 잡든 송편이 드랍된다니.'

한동안 식량 걱정은 할 필요가 없다는 생각에 절로 웃음이 나온다.

"야옹!"

체다가 울었다. 나는 지식인으로 돌아갔다.

"와, 답변이 벌써 달렸네."

110억 인구의 절반이 마법사라서 마법 관련 질문은 답변이 금방 달린다.

[답변] 척척석사(태양신) : 모양새는 있으나 전체적으로 조잡합니다.

서클링이라는 개념 자체를 잘 이해하지 못한 채로 술식을 만든 듯합니다.

에플렘 법칙도 적용하지 않은 듯하고 멜버른 체계도 구

축이 안 되어 있고…….

이런 수준 이하의 서클링으로 마법에 입문하면 3클래스도 어렵고 4, 5클래스는 거의 불가능에 가까울 텐데 결과적으로 34지구로 이민을 왔으니 실로 비범한 재능의 소유자라고 짐작이 됩니다.

솔직한 심정을 말하자면 서클을 흩어 버리고 새로 쌓으라고 조언하고 싶지만 4클래스 이상이라면 그것도 어려운 일이겠지요.

마침 다음 강의까지 시간도 남아서 서클링을 수정해 보았습니다. 기본 베이스는 조각칼 학파의 서클링이니 관련 논문을 보면 도움이 될 겁니다.

ㄴ 와. 답변 달러 왔다가 성의 쩌는 답변에 지리고 갑니다……

ㄴ 그나저나 뭔 서클링이 이따위임? 무슨 고대 서클링임?

ㄴ 고대 서클링이 아니라 원시 고대 서클링 아님?

ㄴ 원시 고대 서클링이 아니라 원시 고대 전설 서클링 아님?

ㄴ 이 바보들아 이름이 그렇게 붙으면 개사기 서클링이어야지 ㅋㅋㅋ

"이건 기대한 것 이상인데…… 운이 좋군. 아니, 스마일 녀석이 좋은 건가?"

피식 웃으며 답변 채택을 한 뒤 마이튜브에서 조각칼 학파의 서클링에 대해 간단히 학습했다.

"로그인."

그리고 스마일의 앞으로 돌아와.

스마일이 가지고 있던 깃펜을 뺏어 들었다.

지익.

지식인에서 봤던 대로 수레바퀴 마탑의 서클링을 수정하기 시작한다. 말이 수정이지 거의 뜯어고치는 수준이다.

원본의 60% 이상이 삭제되고 그 3배 이상의 내용이 추가된다. 그러나 비슷한 계열로 수정되었기에 서클링을 완전히 새로 만들 필요까지는 없었다.

"아니…… 영주님. 어떻게 이런……."

거침없이 술식을 써 내려가는 내 모습에 스마일이 황망한 표정을 짓는다. 그러거나 말거나 나는 작업을 마무리하고 종이를 돌려주었다.

그리고 말했다.

"사실 예전부터 이러고 싶었다. 하지만 그럴 수 없었지. 왜냐하면 스틸스톤과 다르게 넌 나에게 충성을 하지도, 신뢰 관계가 구축되어 있지도 않았으니까."

내가 아르데니아에서 현실의 무공을 전수한 것은 오직

둘. 스틸스톤과 소드맨뿐이다. 그나마도 스틸스톤은 역근세수경(易筋洗髓經)을 익힐 수 있었지만 소드맨은 익히지도 못했지.

'물론 모든 영지민들에게 심법과 서클링을 풀었다면 상황은 좀 달랐겠지.'

마력과 내공은 가장 범용적인 영능이니, 난 10명 이상의 이능력자를 얻을 수 있었겠지.

그러나 난 그러지 못했다.

'지식의 가치가 너무 커.'

역근세수경이 지구에서야 도서관에서도 굴러다니지만 아르데니아의 그 어떤 심법과도 비교를 불허하는 수준의 심법이다.

농담이 아니라 역근세수경의 성능이 알려지면 전쟁이 나도 이상할 게 없는 지경!

결국 완벽히 믿을 수 있는 사람이 아니면 서클링도 심법도 전수할 수가 없었다. 약자가 보물을 가지면, 단지 그것만으로 죽을죄가 되기 때문이다.

그러나 이제.

상황이 달라졌다.

'내 지식이 아무리 가치 있어도 클래스를 찍어 내는 능력만 못하다. 그리고 무엇보다…… 그것을 욕심낼 제국과 왕국들이 멸망했을 가능성이 크지.'

더 이상 눈치 볼 이유가 없다는 뜻이다.

"이건, 착각이 아니라면…… 제 마나 제어술과는 차원이 달라 보입니다."

"서클링이라고 하지. 아르데니아에 존재하는 그 어떤 마나 제어술과도 차원이 다른 힘…… 이것이라면 5클래스도 꿈이 아닐 거다."

"하, 하하 영주님. 5클래스는 전설 속에나 나오는."

"이미 소드 마스터가 등장했는데도 그런 소리인가?"

"……."

스마일은 한참이나 서클링을 바라보다 문득 무릎을 꿇었다.

"마나에 맹세합니다. 영주님께서 저를 해치려 하시지 않는 이상 절대 배신하지 않겠습니다."

"그래."

피식 웃으며 인벤토리에서 아이템 하나를 꺼냈다. 클래스, 룬 캐스터(희귀)였다.

"하루 안에 서클링을 수습해라. 틈나는 대로 쓸 만한 주문들도 알려 주지."

그렇게 말하고 자리를 옮긴다. 저 멀리에서 다가오는 헌드레드가 보였기 때문이다.

"충! 새로운 정예병들입니다! 숫자는 35명이며……."

"너, 실버소드 오러 수련법 좀 적어 봐라."

"……."

헌드레드는 스마일과 같은 과정을 거쳐 나에게 실버소드 오러 수련법을 적어 주었다.

그리고 천룡검공(天龍劍功)에 입문했으며.

클래스, 글래디에이터(희귀)를 얻었다.

'아까워서 질질 끌 때가 아니다. 전력으로 달려야 해.'

로그아웃한다.

나는 체다를 이용해 캡슐형 접속기를 구매했다. 300만 원이나 했지만 감수한다.

그리고 소프트도 하나 구매했다.

17만 원짜리 시뮬레이션 소프트웨어.

[차크라 개방과 수련]이었다.

물론 이걸 당장 활용할 수는 없다.

'그럴 여유가 없어.'

나는 1년 중 365일, 하루 중 22시간 30분 동안 일한다.

훈련 소프트웨어를 돌리긴커녕 집에 들를 시간조차 없는 상황. 실제로 알바를 시작한 후 룸 타워에 한 번도 못 들리지 않았던가?

'그렇다고 일을 하면서 할 수 있는 일도 아니지. 카운터에서 모바일 게임 정도야 충분히 가능하지만 가상 세계로 다이브 하는 건 개념이 없는 정도가 아니라 미친놈이니까.'

결국 알바 시간을 조정할 수밖에 없었다.

"하루 비워 달라고? 하긴 아무리 그래도 그렇지 일주일 내내 하는 건 좀 오버긴 했어."

"월급은 좀 줄어들 거야."

"하하하! 그래, 인마. 한 달 해 보니 사람이 할 짓이 아니지? 우리도 여유 인원이 있으니 걱정 마라."

세 알바 모두 수요일에 쉬도록 일정을 조정했다. 수요일 새벽 3시부터 목요일 새벽 3시까지 정확히 하루를 비워 놓은 것이다.

"뭐 어쩔 수 없지. 생각해 보면 쉬는 날이 하루는 있는 것도 나쁘진 않은 일이야. 전투 중에 다칠 수도 있고."

그러나 휴일은 조정한 일정보다 먼저 다가왔다.

"오! 그러고 보니 내일 쉬는 날이구나."

평소 친하게 지내던 38살 미혼의 인챈터. 작업반장 준환의 말에 놀라 되물었다.

"네? 갑자기 왜…… 아! 추석!"

클럽이나 편의점은 추석이라고 쉬지 않는다. 애초에 그런 종류의 영업장이 아니었으니까.

그러나 웅녀철강은 다르다.

나나 알바지 직원 대부분이 정규직인 일터. 추석에 공장이 쉬는 건 어찌 생각하면 당연한 일이다.

"아! 일정을 괜히 조정했네. 월급만 줄었잖아?"

투덜거리며 그날의 작업을 마치는 내게 작업반장이 다가왔다.

"오~ 재연이. 입사하고 첫 명절이네. 이걸로 가족들이랑 맛있는 거 먹고."

그렇게 말하며 건네 준 봉투엔, 상여금(賞與金)이라는 글자가 적혀 있었다.

"이건……?"

"추석 명절 상여금이야. 원래 3개월은 일해야 받는데 워낙 평가가 좋아서 주는 거야. 내가 보니까 넌 금방 그만둘 것 같지도 않고."

"감사합니다!"

작업반장이 떠나는 모습을 확인하고 열어 본 봉투엔, 무려 250만 원이 들어 있었다.

"오!"

이거라면 정예병을 200명 이상 플레이어로 만들 수 있다.

애사심이 차오른다.

스타 게이트에서도 상여금을 받았다.

"추석에도 잘 부탁해! 아, 스칼렛이 널 눈여겨봤나 봐. 잘 대해 달라던데. 하하하! 청춘은 좋구만. 나도 열 살만 젊었으면 노려봤을 텐데. 역시 몸을 더 만들어야 하나?"

뱃살 두둑한 49살의 오오라 능력자. 빅 맨(한국인이다)이 봉투를 넘겨준다.

그는 강남에 자리한 여섯 개 클럽의 오너로 상여금을 주기 위해 클럽을 돌고 있는 모양이었다.

슥.

봉투를 열어 보자 300만 원이 나온다.

기분이 날아갈 듯하다.

'장비 하나 더 +9강 맞출까!?'

편의점은 상여금이 없었다. 순간 실망스러웠지만 고개를 흔들어 정신을 차린다.

'편의점에서 기대할 걸 기대해야지.'

그래도 게임 돌리기에 편의점만큼 좋은 일자리가 없다는 사실을 위안으로 삼으며 그날 업무를 마쳤다.

어느새 추석.

오랜만에 원룸으로 돌아온 나는 PC를 켜 자동 사냥을 시킨 뒤 내 뒤를 따라 쪼르르 방 안으로 들어온 체다에게 명령했다.

"체다. 접속기 소환해 줘."

"우웨오옹~!"

침대 위에 올라선 체다의 눈이 금색으로 빛나자 허공에 정전기가 피어오르더니 내가 미리 비워 놓은 공간에 둥그런 홀로그램이 생겨난다.

스마트 펫의 기능 중 하나인 [간이 텔레포트]가 발동한 것이다.

[저희 뉴 월드 코퍼레이션을 사랑해 주시는 고객님께 언제나 감사의 인사를 드립니다. 캡슐형 접속기 C-1173이 로딩 중입니다.].

철컥! 기이잉……

[로딩이 완료되었습니다!]

도착한 접속기를 원룸의 에너지 네트워크에 추가시키고 전원을 켠다. 미리 구입한 소프트웨어는 이미 설치되어 있다.

더 시간 끌 필요가 없다.

철컥!

접속기 안으로 들어간다. 장갑과 헬멧을 착용하고 시뮬레이션을 실행시켰다.

[계정을 확인 중입니다.]

[신체 데이터를 습득 중입니다.]

[영능 데이터을 습득 중입니다.]

[시뮬레이션 소프트웨어. 차크라 개방과 수련을 실행합니다.]

의식이 한순간 확 가라앉는가 싶더니 주변 배경이 간결한 이미지의 건물로 변한다.

어느새 내 앞에는 차분한 흑발의 여인이 서 있었다.

"어?"

낯익은 얼굴이다.

"새로운 학생이군. 만나서 반갑다. 김소향이다."

교과서에서나 보던 인물이다. 어르신들도 일단 대가리부터 박고 시작한다는 최고참이자 스테이지를 직접 클리어 했다는 공략파.

전쟁성좌의 주인.

최강의 기간트 마스터(Gigant Master).

"사자여왕……!"

깜짝 놀란 내 모습에 소향이 헛웃음을 짓는다.

"복제 인격이니 호들갑 떨지 마라. 설마 그럴 리 없겠지만 여기서 나랑 친해진 다음 현실에서 아는 척하면 큰일 난다."

"아, 네."

너무 오버했다는 생각에 진정하자 그녀가 웃으며 말했다.

"시작하기 전에 사용자 동의를 해 줘. 차크라 수련을 위해 신체 데이터와 영능 데이터를 활용해도 되겠어?"

"물론입니다. 다만 업로드는 막고자 합니다."

"아하, 개인 정보에 민감한 타입이로구나? 상관없지."

"그렇다면 부탁드립니다."

"그래, 어디 보자."

소향이 두 눈을 감는다. 그리고 다시 떴을 때, 그녀의 눈은 금빛으로 빛나고 있었다.

"육체 능력이 아주 뛰어나구나? 근력도 민첩도 일반인을 훨씬 뛰어넘는 수준이야. 와. 특히 체력은 거의 초인급인데? 생체력을 익힌 것도 아니고 [플레이어]도 [신도]도 아닌데 이 정도의 체력을 가질 수가 있구나."

"……."

그녀의 말에 눈을 가늘게 뜬다.

'체력이 제일 높은 걸로 인식한다고?'

전력이라 한들, 고작 칼 한 번 휘두르는 것만으로 체력이 다 날아가서 고생하는 내 입장에서는 터무니없는 일.

나는 바로 상황을 눈치 챌 수 있었다.

'보너스 스텟으로 더해진 능력치를 인식하지 못한다.'

이해할 수 없는 일이다. 왜냐하면 근력을 강화한 결과 내 육체에 물리적인 변화가 일어난 상태였기 때문이다. 실제로 덩치가 커지고 힘이 세졌는데 최신 접속기가 그걸 인식하지 못하다니.

"마나량하고 마나력이…… 아니 이렇게 낮을 수가 있나? 설마 이 나이에 영능 각성을 안 했…… 아니 잠깐. 내공이 있잖아? 영능 각성을 했는데 마나가 이 모양이라고?"

소향이 당황했지만 그런 모습쯤 시청이나 도청에서 이미 많이 봐 왔기에 실망하지 않고 물었다.

"그것보다는 차크라 상태를 봐 주십시오."

"뭔 소리를 하는 거야? 이런 마나 감응력으로 차크라를 개방한다고?"

기가 차다는 반응.

그러거나 말거나 묻는다.

"봐 주세요."

"아니, 나 참. 억지를 부려도."

그렇게 말하던 소향의 얼굴이 굳는다.

"어?"

신음한다. 그녀는 다시 눈을 감더니 어안이 벙벙한 표정으로 떴다.

"어어?"

"어떻죠?"

내 재촉에 소향이 딱딱해진 얼굴로 말했다.

"뭐야."

도저히 믿을 수 없는 무언가를 본 얼굴이다.

"대체…… 이게 뭐야?"

chapter2.

아르데니아

chapter2.
아르데니아

내 병력, 그러니까 브론즈 소드 남작군이 레드엑스 영지로 향해 진군한다.

숫자는 일천칠백.

진지를 완전히 정리한 총 군세이다.

'그러고 보면 이걸 남작군이라고 할 수 있을까?'

모두 나를 영주님이라 부르지만 사실 웃기는 소리다. 이미 내 영지는 오크 놈들의 손에 떨어진 지 오래이기 때문이다.

마찬가지로 '브론즈 소드 남작'이라는 직위도 허망하다.

'크롬 왕국은 멸망했을 테니까. 나 참…… 귀족이 되려고 십 년을 썼는데 날아가는 건 한 방이군.'

따각따각. 드르륵.

마차가 움직이고 있다. 가장 크지는 않지만 가장 고급스러운, 이동 중에도 푹 잘 수 있도록 특별히 신경 쓴 마차. 멧돼지 가죽과 솜이불을 몇 겹이나 겹 대 푹신하고 따뜻하게 만든 것이었다.

"영주님. 새로운 고블린 무리를 마주쳤습니다."

마차로 다가온 헌드레드의 보고에 묻는다.

"특이 사항은?"

"구백여 마리로 숫자는 적습니다만 고블린 샤먼과 고블린 레인저들이 다수 포함되어 있습니다."

"스틸스톤과 함께 고급 등급 고블린들을 끊어 내. 피해가 발생할 수도 있으니까."

"충!"

예를 취한 헌드레드가 멀어지고 어느 정도 시간이 지나자 전투의 소음이 울려 퍼진다.

꽤 소란스러웠지만 걱정하지 않는다. 레벨 업 하고 전투에 익숙해진 병사들의 전투력은 고작 고블린들에게 당할 정도로 약하지 않았기 때문이다.

전투에 참여한 병사들 중 일부에게 클래스를 부여해 500명까지 늘어난 정예병은 레벨 업의 쾌감에 빠져 엄청난 사기를 유지하는 중이었다.

"후."

모든 잡념을 떨치고 집중하자 의식이 내면으로 잠겨 들어간다.

차크라는 특정한 개념에 몰입하고 동화하는 능력이다.

차크라 수련자는 특정 개념을 끊임없이 이해함으로써 해당 개념의 내차원(內次元)에 접속하게 되는데 그 종류에는 한계가 없다.

불, 물, 바람 같은 속성도 있고 철학적인 관념 또한 가능한 것.

만일 차크라 수련자 그 개념을 깊이 [이해]하게 된다면 그는 그 [앎]의 힘으로 자신의 안에 소우주(小宇宙)를 여는 게 가능해진다.

뿐만 아니라, 그 깨달음이 극에 도달해 가장 깊은 곳까지 파고드는 데 성공한다면 그의 소우주는 너무도 뚜렷해져 현실에 영향을 끼치는 권능의 영역으로 올라선다.

차크라를 다루는 자들은 거기에까지 이르는 과정을 여덟 단계로 구분해 팔문(八門)으로 나누고 그것을 다루는 자의 경지를 층(層)으로 표현했다.

현기팔문(賢氣八門)과 무량구층(無量九層).

쿵!

난 내가 가구 하나 없는 원룸 안에 들어와 있다는 사실을 깨달았다.

'1층이다.'

참고로 2층은 없다. 차크라 수련자로서의 내 역량은 입문자에 지나지 않기 때문이다.

층은 결국 수준과 역량을 나타내는 단위.

내면에 고작 1층밖에 마련하지 못한 내 차크라 능력은 마법사로 치면 1클래스 견습 마법사에 불과하다.

'가장 먼저 채울 내용물은 뻔하다.'

나는 내가 무엇보다 잘 이해하고 실감하며, 또 가장 쓸모 있는 개념을 구현했다.

나는 머리끝부터 발끝까지 온전히 인지하며 배웠던 대로 수인을 맺었다.

"신체(身體). 접문(接門). 개방(開放)."

끼이익!

문이 열리는(開門) 것이 느껴진다. 세부 개념은 분류하지 않았다. 일단은 내 신체부터 온전히 인식하는 것이 먼저이기 때문이다.

뿌득! 뿌드득!

육체가 활성화되는 것을 느낀다. 내 정신이 신체라는 개념을 인지하였다는 말이기도 하다.

제1문, 접문(接門)의 영역에 도달한 것이다.

팟!

내 [의식] 말고는 아무것도 없던 1층에 육신의 해부도가 모습을 드러낸다.

“작아.”

나는 1층에 자리한 내 육신의 모습을 보았다. 별로 넓지도 않은 원룸이 휑할 정도로 작은, 거의 손가락 한 마디만 한 내 육신의 모습이 보인다. 입문자에서 영원히 벗어날 수 없는 무공만큼이나 하찮은 경지.

다만 이 세계에는 특이점이 존재한다.

드르륵.

[인지]하는 것만으로 생겨난 원룸의 창문을 연다.

본디 이렇게 창문을 만들어도 보이는 것은 새까만 어둠뿐이어야 한다. 이곳은 실제로 존재하는 공간이 아니라 내면세계이며, 내면세계의 [밖]이란 존재할 수 없는 개념이기 때문이다.

그러나 창문을 열자.

그것이 보였다.

고오오오-----!

거대한 바둑판.

이미 완성되어 있는 소우주. 아니, 그것조차 넘어서 하나의 세계나 다름없는 광대하고 명확한 공간.

“아르데니아…….”

팟!

내면세계에서 벗어나, 마차에서 눈을 뜬다.

“로그아웃.”

원룸으로 돌아온다. 푹신한 침대에 걸터앉아 차크라를 일으킨다. 본래대로라면 수인을 맺어야 하지만, 이 [요소]만큼은 그것조차 불필요하다.

"아르데니아. 접문(接門). 개방(開放)."

정신을 집중하고, 문을 연다. 내면에 펼쳐지는 거대한 세상을 느끼며.

그 안에 존재하는 작고 하찮은 하나를 집어낸다.

"소환(召喚). 뼈 장검."

팟!

검이 손에 들려 있다. 어떤 물리적인 현상이 아니라 CG로 조작한 영상처럼 전조 없는 등장.

나는 침대에 앉아 뼈 장검의 모습을 가만히 바라보았다. 멧돼지의 뼈로 만들어 제법 날카롭기는 해도 결국 뼈에 불과한 일반 등급의 아이템이다.

"진짜 황당하긴 하네."

어떤 요소를 인지함으로써 이해를 시작하는 제1문 접문(接門)에 들어선 차크라 수련자는 그 이해를 더 깊게 하고 [앎]의 수준을 높여 제2문 중문(重門), 제3문 거문(巨門), 제4문 역문(易門)을 열 수 있게 된다.

그리고 마침내 소우주를 만들어 내는 제5문 현문(賢門).

그저 정신세계의 이미지에 불과한 층(層)의 모습과는

다른, 실질적인 힘을 가진 채널(channel)을 생성해 내는 영역이다.

그 요소의 근간을 이루는 '의미'를 깨닫지 못하면 절대 도달할 수 없는 경지.

무공 수련자로 치면 내기의 유형화에 성공해 검기를 발현하는 절정 고수이고 마법 수련자로 치면 상위 주문을 사역하게 되는 5클래스 마법사와 같다고 할 수 있겠지.

그리고 제6문 인문(人門), 제7문 지문(地門)을 거치면.

초월(超越)이자 궁극(窮極)이라고 할 수 있는 현기팔문의 정점에 도달하게 된다.

그 요소를 '지배'하고 소우주를 완성해 내는 제8문 천문(天門)을 열게 되는 것이다.

여기에까지 이르면 차크라 수련자가 품고 있는 소우주는 하나의 세계가 되어 스스로의 법칙을 현실에 강요하는 지경에 이른다.

'그래. 돌이켜보면 아르데니아가 보이는 모습은…… 전형적인 천문의 영역이다.'

레벨 업 포인트. 클래스. 수호령. 컬렉션 시스템.

왜 레벨 업 한다고 스텟이 생기는가? 아이템 컬렉션을 모으는 거랑 플레이어가 강해지는 게 무슨 상관인가?

이유는 없다.

왜냐하면 그 모든 것은 일종의 약속이기 때문이다. 어

떤 원리에 따른 결과가 아니라 만들어진 규칙.

'문제는 그 약속이나 규칙이 게임의 그것이지 현실의 것이 아니라는 거야.'

그러나 그럼에도 아르데니아는 자신의 규칙을 현실에 강요했고, 그 결과 영적 장애인이던 나는 과거와 비교할 수 없는 힘을 얻었다.

이것이야말로 천문(天門)이며 구층(九層)의 경지.

초월자의 영역이다.

'그런데 나는 일층이잖아?'

말이 안 되는 일이다.

굳이 마법사로 비유를 하자면 1클래스, 그중에서도 견습에 불과한 마법사가 9클래스 궁극 주문을 사용하는 것과 같다.

'아니 사실…… 이건 그 정도를 넘어서는 일이지.'

완성된 소우주가 하나의 세계와 다름없다는 것은 어디까지나 비유. 차크라 수련자가 문을 열어 구현해 내지 않는 이상 어디까지나 개념에 불과해야 정상이다.

가로세로 1,900km의 크기에 억 단위의 생명체가 살아가는 소우주가 항상 유지되는 것도 말이 안 되는데 유지에 아무런 코스트가 들어가지 않는다니.

팟!

30분이 지나자 손에 들려 있던 뼈 장검이 사라진다.

“아르데니아. 접문(接門). 개방(開放).”

다시 내면의 소우주에 시선을 맞춘다.

“소환(召喚). 오크 돌격병의 도끼.”

지끈.

순간 강렬한 통증과 함께 소환에 실패한다. 짐작했던 일이지만 실망스럽다.

“아, 아무리 그래도 고급이 안 되네. 경지가 낮아서 그런가? 아르데니아. 접문(接門). 개방(開放). 소환(召喚). 뼈 장검.”

다시 뼈 장검이 등장한다. 나는 그것을 그대로 부러트렸다.

콰득!

깔끔하게 부러진다. 내 근력은 이미 어지간한 생체력 수련자 이상이고 뼈 장검은 뼈일 뿐이니 어렵지 않은 일이다.

그리고 다시 30분 후.

팟!

부러진 뼈 장검이 사라진다.

“로그인.”

마차로 들어간다. 미리 준비해 놓았던 뼈 장검이 부러진 채로 굴러다니고 있다. 옆에는 내가 소환하지 못했던 오크 돌격병의 도끼가 있다.

"정리해 보자면…… 아르데니아의 물건을 현실로 꺼낼 수 있는 능력인가?"

몹시 놀라운 능력이었지만 냉정하게 생각해 보면 영 쓸모없는 능력이기도 했다.

왜냐하면, 지구에서는 싸울 일이 없기 때문이다.

'게다가 영웅 등급 이상의 장비가 아닌 바에야…… 현대 병기에 비빌 수 없어.'

그런 와중에 고작 일반 장비를 불러오는 능력이라니 애매하기 짝이 없다.

"뭐, 그래도 이것으로 많은 게 설명이 되는군."

내가 아르데니아에서 늙지 않던 것, 아르데니아로 들어가면 현실의 시간이 멈추고 현실로 돌아오면 아르데니아의 시간이 멈추는 모든 상황이 이해된다.

'소우주라…….'

기준점이 나 자체였다는 말이다. 내가 지구로 가면 아르데니아의 시간의 멈추고, 아르데니아로 가면 아르데니아의 시간이 무한대에 가깝게 가속되는 것.

아르데니아가 어딘가에 존재하는 이세계가 아니라 내 내면에 존재하는 세상이기에 가능한 일이었다.

"영주님, 용맥에 들어섰습니다."

플라워의 보고에 마차에서 내렸다. 고개를 돌려보니 저 멀리서 빛나고 있는 빛의 기둥이 보인다.

그리고 그 사이에 버글버글한 고블린들도.

'그래도 꽤 줄었네.'

레벨 업으로 강화된 오백의 정예병과 그 뒤를 받치는 천이백의 영지민들이 계속해서 전투를 벌이자 리젠 속도가 사망 속도를 못 따라가는 상황이 되었다.

고블린은 결국 일반 등급의 몬스터.

상상 이상으로 빠르고 성인에 맞먹는 근력을 가진 괴물이라 해도 1미터 남짓한 신장과 부족한 살상력은 전쟁터에서 심각한 결점이다.

충실한 무장을 갖추고 사기까지 높은 병사들을 상대하기엔 역부족인 것이다.

"계속 전진해. 적어도 3일 내에 빛의 기둥에 자리를 잡는다."

"네!"

나는 다시 마차에 들어가 명상을 시작했다. 신체의 차크라를 개방하고 거기에서 발생한 힘으로 육신을 강화하고, 활성화시키는 것을 반복한다.

그리고 그 과정은.

"제법…… 할 만한데?"

지금껏 내공을 다룰 때와는 완전히 달랐다.

강제 각성으로 내공을 깨우치고도 나는 그 존재를 감지하기 어려웠다. 보이지도, 들리지도, 냄새나지도, 느껴지지도 않는 무언가.

나는 오로지 필사적인 염원만으로 내기(內氣)를 움직였으며 당연히 그 효율은 최악에 가까웠다.

반면.

차크라는 그저 정신력을 소모하는 것으로 활용이 가능하다. 마력과 내공과는 다르게 축기(縮氣)와 운기(運氣)의 과정이 없는 영능이기 때문이다.

고오오--!

나는 정신없이 차크라 수련에 빠져들었다.

내가 마차에서 수련하는 동안에도 병력은 계속 이동했다. 전쟁을 치르고 레벨을 올렸으며 파밍한 아이템들을 인벤토리나 마차에 쌓았다.

여신의 가호가 없어 드랍률이 똥망이었지만 누적 고블린 숫자가 만 단위를 넘어서자 나름대로 유의미한 규모에, 골드도 상당량 쌓였다.

나는 식사시간마다 나와 멧돼지 뒷다리와 송편(이벤트) 등을 풀며 골드를 회수했다.

골드로는 캐시숍에서 유일하게 골드로 살 수 있는 물품, 강화 주문서를 구입했다.

'그러고 보니 강화 주문서는 종종 사는 사람이 나오겠군.'

아르데니아의 시스템은 메인 퀘스트도 일일 퀘스트도 이벤트도 없지만 그렇다고 정말 아무것도 없는 것은 아니다.

나름대로 캐시숍도 있고 거래소도 있다. 우편함도 있고 업적 보상도 있다.

'다만 대부분 반쪽짜리지.'

캐시숍과 거래소가 있어 봐야 다이아가 없으면 무소용이다. 우편함은 있지만 계정 아이디가 없어 이용이 불가능하고 업적 보상이 있지만 업적 보상은 대체로 토큰으로 주어진다는 게 문제다.

토큰 교환 npc가 없으니 아무리 많이 가지고 있어 봐야 허망할 뿐이다.

"다음은 원소 계열의 수인이다."

지구로 가서는 소향에게 차크라 교습을 받았다. 실습은 아르데니아로 돌아와서 잔뜩 하고 접속기에서는 이론만을 습득했다.

접속기의 가상 현실이 아무리 그럴싸해도 현실과 다름없는 아르데니아와 비할 바는 못 되기 때문이다.

그리고 그렇게 3일.

믿을 수 없는 일이 벌어졌다. 내가 신체라는 요소를 더 깊이 깨닫는 데 성공한 것이다.

제2문 중문(重門)의 경지.

나는 내 의식 속에 선택지가 주어졌다는 것을 깨달았다.

1. 회복.

2. 강화.

3. 신체.

나는 잠시 고민하다 회복을 골랐다.

"여기서 [증폭]의 차크라를 열어 동시 개방하면 초회복(超回復)이 되고 [역행]의 차크라를 열어 동시 개방하면 신체복원(身體復元)이 된다는 거구만."

신체에 대한 높은 이해와 장악력 때문인지 개문 속도가 그야말로 상상초월이다. 짐작이지만 한 일주일 정도 수련을 진행하면 다음 단계. 그러니까 거문(巨門)의 영역에 들어설 수 있을 듯했다.

그야말로 천재들이나 보일 법한 성장 속도!

그러나 진작 차크라를 배울 걸 그랬다는(안 배운 게 아니라 못 배운 것이지만.) 후회는 들지 않는다.

"이것도 결국 반쪽짜리네."

차크라 수련은 무량구층과 현기팔문이라는 두 개의 기둥으로 이루어져 있다.

그중 현기팔문이 스스로의 내계(內界)로 가라앉아 [앎]의 깊이를 더하는 것으로 성장한다면 무량구층의 성장은 스스로를 안테나 삼아 외계(外界)와 소통하는 것으로 이루어진다.

즉, 문을 열고 그것을 활용하는 것은 강한 정신력과 깊은 앎만 있다면 가능하지만.

층을 [쌓아 올리는] 데에는 극도의 영적 감응력이 필요하다.

극도의 영적 감응력.

'그런 게 어디 있어.'

극도의 영적 감응력은 개뿔 영감 자체가 없어서 유령이 공격해도 피해를 안 받고 저주를 받아도 [몰라서] 무시하는 게 바로 나라는 인간이다.

다른 행성에 사는 사람들이 그렇게 부러워한다는 강제 각성을 하고도 일반인 이하의 영력밖에 쓰지 못하던 인간이 바로 나다.

'엿 같은 기감 진짜.'

마법사로 치면 스펠은 곧잘 배우고 익히는데 마력은 1클래스에서 벗어나지 못하는 것과 같다.

미래가 없다는 뜻이다.

"뭐, 그래도 축기랑 운기 둘 다 똥망이던 무공보다는 나은가."

투덜거리는 순간이었다.

쾨— 앙!

무지막지한 폭음에 깜짝 놀라 마차에서 뛰쳐나온다. 고개를 돌리자 저 멀리 엉망으로 나뒹굴고 있는 병사들의 모습이 보인다.

"마법! 마법이다!"

"끄아악! 앞이 안 보여! 앞이!"

"악! 뜨거워! 살려 줘 으헝헝!"

수십 명의 병사들이 바닥을 뒹굴고 있다. 성벽처럼 적의 진격을 차단하고 있던 방패병들이 타오르는 불길을 버티지 못하고 방패를 내던지고 있다.

그리고 그렇게 뚫린 방어 위로 고블린들이 쏟아진다.

"미친!"

최근 전투에서는 수천이 넘는 적을 물리치면서도 단 하나도 죽지 않았던 정예병이 수십 이상 죽어 나가고 있다. 최악의 경우 백이 넘는 숫자가 죽을지도 모를 상황.

그야말로 끔찍한 피해다.

쾅!

바로 땅을 박차 뛰어오른다. 발 구름 한 번에 몸이 수십 미터 이상 날아간다.

그리고 허공에 뜬 나는 보았다.

붉은 송곳 홉 고블린(희귀)

지바고

약 300~400미터 정도 떨어진 거리에서 다른 고블린

보다 머리 하나는 커 보이는 녀석이 낄낄거리며 웃고 있다. 그 잠깐의 순간에 녀석은 손가락을 펴 허공에 떠 있는 나를 가리켰다.

그 의미는 명확하다.

[너.]

그리고 이번에는 두 손가락을 펴 자신의 두 눈을 가리킨다. 이번에도 그 의미가 명확하다.

[내가 보고 있다.]

낄낄낄 웃으며 옆에 뚫려 있던 구멍으로 향한다. 일격을 제대로 먹였으니 이제 후퇴할 것이고, 방심할 때마다 지금과 같은 공격을 먹여 줄 것이라는 선전포고였다.

"저……."

혈압이 오른다.

"저 새끼가?"

즉시 인벤토리를 열어 뼈 장검을 꺼내 들었다.

우드득!

온몸의 근육이 뒤틀린다. 두 팔을 뒤로 길게 빼 뒤꿈치에 팔이 닿을 때까지 허리를 당겼다. 근육이 팽팽하게 당겨진 고무줄처럼 바르르 떨리고.

그것이 한계에 이르렀을 때.

그대로 풀어낸다.

팡!

뼈 장검은 마치 광선처럼 공간을 가로질렀다. 500포인트가 넘는 근력을 일거에 풀어낸 투척의 위력은, 이미 상식의 수준을 넘어서고 있었다.

쿠아아앙!

뒤늦게 소닉붐이 터졌다. 마치 전투기라도 지나간 듯 강렬한 굉음이다.

휘릭. 휘릭. 휘릭.

뼈 장검을 던져 낸 반작용으로 허공에서 열댓 바퀴 정도. 거리로 치면 약 50미터 이상 밀려 날아가다 착지한다.

"허억…… 허억…… 허억……."

가쁜 호흡을 고르며 전장을 살핀다. 그리고 웃었다.

"새끼…… 허억…… 허억……."

머리통이 날아간 홉 고블린이 쓰러지는 모습이 내 눈에 비친다.

"뒤질라고."

[알 수 없는 이유로 체력이 1포인트 상승하였습니다!]

전투는 금세 마무리되었다. 고블린들 입장에서도 광역 마법을 날리기 위해 내던지다시피 했던 병력이었기에 더욱 그러했다.

“피해는?”

“방패병이 열, 검방병이 열다섯, 창병이 스물하나입니다. 부상자는 그 두 배 정도 되지만 힐러들의 도움으로 자리를 털고 일어났습니다.”

“많군…….”

“죄송합니다.”

“아니. 나도 전혀 예상하지 못한 상황이니 누굴 탓할 수는 없지.”

최근 전투들에서 정예병들이 단 한 명의 피해 없이 자신들의 두 배 이상의 적을 무찌를 수 있었던 것은 충실한 방어구와 빽빽할 정도의 밀집 대형 덕분이었다.

고블린들이 아무리 악을 쓰고 덤벼도 뚫지도, 파고 들지도 못하니 훨씬 많은 수의 적이라도 상대할 수 있었던 것.

하지만 그렇게 밀집된 병력 안에서 광역 마법이 터진다면?

평소보다 더 큰 피해를 입을 수밖에 없다.

‘충분히 예상할 수 있는 상황이었는데.’

1클래스만 되어도 어엿한 마법사. 2클래스면 숙련 마

법사. 3클래스면 고위 마법사인 아르데니아에서는 전투 중 광역 마법이 터지는 상황 자체를 상정하지 않는 게 당연하지만 지구인인 내 입장은 달라야 했다.

아무래도 차크라 수련에 너무 신났던 모양이다.

“소드맨. 사망자의 가족 관계를 파악해 보상하고 결원이 생긴 파티를 조사해 와라. 피해가 두 명 이하인 파티가 있다면 내가 대기자를 정예병으로 만들어 투입할 테니 그 이상인 파티는 서로 간에 의견을 조율해서 합치든지 새로운 정예병을 받든지 해. 오늘은 여기서 야영하고 내일까지 용맥을 확보한다.”

“네, 영주님.”

“스틸스톤, 헌드레드, 스마일, 플라워 이렇게 넷은 개인 정비하고 충분히 쉬어 둬. 내일 던전에 들어간다.”

“네!”

간부들에게 지시를 내리고 바쁘게 움직이고 있는 병사들을 보았다.

‘만만치 않군.’

오늘 고블린을 처리하지 못했다면 어찌 되었을지 상상만 해도 섬뜩하다.

단 한 방에 50에 가까운 피해라니.

만일 녀석을 놓쳐 오늘 같은 습격을 더 받았다면 수백 명도 넘는 정예병이 목숨을 잃었을 것이다.

"로그아웃."

마차에 들어가 충분히 휴식을 취한 뒤 지구로 돌아간다. 접속기로 들어가 소향에게 새로운 차크라에 대해 배우기 위함이었다.

'신체의 앎을 더 깊게 해 봐야 하등 쓸모가 없어. 어차피 나는 1층 고정이다.'

그렇다면 차라리 다룰 수 있는 요소의 수를 늘려 상황대응 능력을 키우는 편이 이득이리라.

[이얍! 토끼토끼 등장!]

[부베 평원에 십렙토끼가 나타났습니다!]

"어?"

느닷없는 소리에 모니터를 돌아보자 열심히 사냥하고 있던 내 캐릭터 근처에 반짝이는 이펙트와 함께 토끼 귀 달린 소녀가 등장하는 모습이 보인다.

[즐거운 한가위 보내세요!]

십렙 토끼(고급)

"이벤트 몬스터다!"

나는 황급히 자동 사냥하고 있던 캐릭터를 조종해 십렙

토끼를 공격했다.

"좋아. 잡을 만하다!"

이벤트 몬스터에 고급 등급이라 그런지 그다지 강하지는 않다.

고급 등급 치고 생명력이 조금 많다는 게 문제였지만 MP 포션을 팍팍 빨며 버프 스킬들을 돌리자 순조로이 HP가 깎여 나간다.

팟! 팟!

그때 화면 여기저기에서 다른 플레이어들이 나타났다. 텔레포트 주문서로 나타난 것으로 보이는 그들은 한 줄의 채팅도 없이 내 쪽으로 달려왔다.

"이것들이 스틸하려고!"

그러나 이미 늦었다!

십렙 토끼의 HP는 이미 절반 가깝게 줄어든 상태.

선타도 내가 쳤는데 전투 기여도도 이 정도라면 새로 온 녀석들이 한 방에 십렙 토끼를 죽여도 드랍 아이템의 소유권은 내게 들어오게 되어 있다.

"늦었어!"

그렇게 외치는 순간 달려온 엘프 캐릭터가 화살을 쏘았다.

그리고 일격에 죽는다.

내 캐릭터가.

[당신은 죽었습니다. 부활하시겠습니까?]

[네] OR [아니오]

"……!?"

잠시 현실을 받아 들지 못하고 모니터를 바라보았다.

퍽!

이어지는 화살에 십렙 토끼가 죽는다.

그리고 아이템이 떨어졌다.

탱크 바디 (희귀)

"……!"

나는 황급히 채팅을 쳤다.

킬리언스투 : 지금 뭐 하시는 거예요? 왜 절 죽이세요?

핫 바디 : 죄송.

"뭐? 죄송? 죄에에송?"

내가 황당해하는 동안 엘프 캐릭터가 땅에 떨어진 스킬북 위에 선다.

그러나 먹지 못한다.

"아! 그래 저 아이템은 내 소유야!"

나는 황급히 마을 부활을 한 다음 탈 것을 소환해 사냥터로 달려갔다.

십렙 토끼 사냥에 가장 높은 기여도를 가진 것은 나다.

"얼른 다시 가서 주우면……!"

퍽!

[당신은 죽었습니다. 부활하시겠습니까?]

[네] OR [아니오]

"……."

나는 달려온 내 캐릭을 죽이고 스킬북 위에 서 있는 엘프 캐릭을 보았다.

그리고 깨달았다.

"……아. 1분이 지나면 아무나 주울 수 있게 되지."

사람들이 줍지 않던 멧돼지 뒷다리를 내가 주울 수 있었던 것과 마찬가지다.

킬리언스투 : 저기요…… 제가 죽인 건데…….

애처롭게 말해 보았지만 핫 바디는 대답도 하지 않는다.

하긴 어쩌면 당연한 일일지도 모른다. 탱크 바디는 1,100다이아.

현금으로도 11만 원짜리 아이템. 먹을 수 있으면 당연히 먹지, 양보하는 게 비정상이다.

그리고 그렇게 시간이 지나고.

팟.

핫 바디가 탱크 바디(희귀)를 습득했다.

[부베 평원에서 핫바디님께서 탱크 바디(희귀)를 획득하셨습니다!]

월드 메시지가 뜬다. 할 일을 마친 핫 바디가 나에게 말한다.

핫 바디 : 저기요

킬리언스투 : 네?

핫 바디 : 약하면 이벤트 몬스터는 치지 마세요.

킬리언스투 : ……

그렇게 핫 바디는 떠나갔다.

"아니…… 하하하. 이런…… 하하하!"

잠시 헛웃음을 흘린다. 그러다 깨닫는다.

"고작 게임에 왜 그리 돈을 쓰나 했더니. 이런 이유였나."

빡쳐서 과금하고 싶어진다. 이토록 약한 내 모습을 두고 볼 수가 없다!

게다가 짜증나는 일은 그뿐이 아니다.

아이템이 손실되었습니다. 복구하시겠습니까?

지불 금액 : 10다이아

[네] OR [아니오]

아니오를 누른다. 킬리언스 투가 장착한 아이템들은 일반 아니면 고급 등급이라 다이아를 써서 복구한다는 건 있을 수 없는 일이다.

그나마 경험치 손실 복구는 하루에 5번까지 무료라서 다행이었다.

"열 받지만…… 그래도 참아야지."

과금으로 현실의 몸이 강해지는 내가 그만한 기회비용을 게임 캐릭터에 투자할 수는 없다.

무엇보다 정예병이 수십이나 죽어 나간 상황이 아니던가?

게임 캐릭터 강화시킬 돈이 있으면 내 병사들을 강화시키는 게 당연하다.

"병사들도…… 수호령하고 펫이 있으면 전력이 급상승할 테니까."

분을 가라앉히고 접속기에 들어간다.

수업의 시작이다.

"전투에 적합한 요소는 역시 병기(兵器)가 있다. [검], [창], [활], [방패] 등등."

"하지만 속성이 더 쓸모 있지 않나요?"

차크라 사용자들이 가장 많이 파고드는 요소가 바로 속성이다.

불, 물, 바람, 빛, 어둠, 번개…… 자연 현상은 너무도 강력한 세상의 일부이기 때문에 위력이 준수하면서도 활용 방법이 무궁무진하다.

"맞는 말이지만 속성력이 있을 때의 일이지. 보니까 넌 모든 속성력이 0에 수렴해. 차라리 어떤 한 속성이 마이너스면 마이너스지 전 속성 0이라니…… 이런 경우는 난 생처음 봤다."

이해 안 가는 무언가를 보는 표정으로 날 바라보던 소향이 이내 고개를 흔들고 말한다.

"무기나 선택해. 잘 다루는 거로. [병기] 같이 포괄적인 걸로 하면 단계를 올리는 데 애로 사항이 꽃필 테니 특정한 병기를 고르는 게 좋을 거다."

차르르륵!

말과 동시에 온갖 무기가 걸려 있는 벽이 모습을 드러낸다.

그뿐이 아니다.

쿵!

오른쪽으로 수십 권의 책이 들어차 있는 책장이 떨어져 내린다.

"책들은 뭡니까?"

"신체의 차크라가 중문(重門)을 열었더군. 장차 신체의 현문(賢門)을 열고 싶다면 지금부터 의학 지식을 쌓아야 한다. 스스로의 몸을 잘 제어하는 것만으로는 한계가 있거든."

뜻밖의 말에 묻는다.

"공부라니…… 어느 정도 배워야 합니까?"

"의대(醫大)에 갈 정도는 돼야지. 모든 영역을 다 배울 필요는 없고 해부학을 중심으로 공부해. 공부머리가 있으면 이삼 년 정도면 되고 머리가 안 좋으면 십 년은 해야 한다."

"……."

"지금 의학 공부만 걱정하나 본데 무기도 무시하지 마라. 해당 무기를 달인의 경지까지 수련해야 하고 나중에는 직접 만들어도 봐야 해. 그래서 차크라 수련자는 다른 영능하고 병행하는 경우가 많지. 무기를 달인의 경지까지 수련하고 나면 억울해서라도 무공에 입문하게 되거든."

"매체에서 보던 차크라 수련자들하고는 많이 다르네요……."

"매체에는 속성계나 특수한 개념을 다루는 녀석들이 주로 나오니까. 신체나 병기를 개문하면 아무래도 겉보기에 수수하거든. 아! 취직을 하기에는 [기계]도 좋다. 당연한 말이지만…… 기계공학을 배워야 하고."

영화에서 본 차크라 수련자들은 삶의 애환이 가득한 얼굴로 모닥불을 몇 날 며칠 동안 바라본다든지, 북극 빙하 아래에서 잠을 잔다든지, 빛 한 점 들어오지 않는 독방에서 내면의 어둠과 대화를 나눈다든지……

뭐 하여튼 그런 신비로움이 있었는데 현실은 전혀 다르다.

공부라니…….

"일단…… 되는 데까지 외워 보죠."

"좋은 자세야."

추석 첫날은 거의 접속기 안에서 보냈다.

나는 [검] 요소를 추가로 개방했고 [해부 생리학]을 읽기 시작했다.

"……."

내용이 너무 많아서 구토가 올라올 정도였다.

심법이나 서클링을 외울 때와는 또 다른 어려움이 있었다.

'아니 근육이면 근육이고 뼈면 뼈지, 뭔 명칭들이 이렇게 많아?'

암기조차 쉽게 되지 않는다. 전혀 관심 가지지 않던 분야라 더 그런 것 같았다.

그리고 게임 속 캐릭터는.

"송편! 송편을 줍자."

나는 몬스터가 없는 길을 골라 대륙 중앙부를 향해 달렸다.

이유는 홈페이지에 올라온 글 때문이다.

[건의] greenyongyong : 오! 송편 제발 그만!

드랍률 조정을 대체 어떻게 한 건지…… (한숨) 무슨 몬스터 한 마리 잡을 때마다 송편이 세 접시씩 떨어져요?

이거 보니까 고렙 몬스터일수록 드랍률을 높게 해 놨나 본데…… 하…… 우리는 일고희(일반, 고급,희귀) 음식은 안 먹어요. 버프 시간은 또 짱 길어서 4시간이나 되네…….

희귀 송편도 인벤 자리 지나치게 차지하니까 드랍률 조절 좀 해 주세요.

아니면 하위 송편 100개로 상위 송편 교환 가능하게 해 주시던가요.

게시물의 내용은 그저 건의 사항이다. 누가 이득 볼 수 있는 정보는 전혀 없다.

그러나 내게는 전혀 다르다.

"도착했다."

[사이클롭스 수련자들의 언덕]

바둑판의 정중앙. 그러니까 천원(天元) 바로 옆 칸에 위치한 사냥터이다.

[던전]과 [분노의 탑]을 제외한 리벤지 최고 등급의 필드 사냥터.

나는 언덕 여기저기에서 가부좌를 취하고 앉아 있는 괴물들의 모습을 보았다.

사이클롭스 사무라이(전설).

"와. 전설 몬스터."

등급이 전설인데 일반 몬스터(엘리트나 보스가 아님)라서 이름도 없다. 레벨별 사냥터의 불합리함이다.

'여기 잡몹 중 한 마리만 저렙존으로 가도 대참사일 텐데.'

그러나 중요한 것은 전설 몬스터가 아닌 바닥에 깔린

것들이다.

말하자면 쓰레기들.

[콩 송편(일반)], [콩 송편(일반)] [콩 송편(일반)], [쑥 송편(고급)] [콩 송편(일반)], [오색 송편(희귀)] [콩 송편(일반)], [콩 송편(일반)]……

"……역시! 생각대로야!"

사이클롭스의 언덕은 최고 등급의 필드 사냥터 중 유일하게 몬스터들이 선공을 치지 않는 곳이다.

그러면서도 영웅급 스킬북을 떨구는 인기 사냥터이기에 언제나 플레이어들이 바글바글한 곳.

앵벌이에 가장 적합한 장소다.

"좋아!"

나는 즉시 사냥터를 돌아다니며 여기저기 굴러다니는 송편들을 주웠다.

고작 10분 주웠을 뿐인데 인벤토리에 쌓인 송편의 수가 200개가 넘는다.

어디 그뿐인가!

[오색 송편(희귀)].

“와, 미친! 희귀 송편을 안 줍네.”

고레벨 몬스터일수록 드랍률이 높다는 게 사실인 모양이다.

내 캐릭으로는 자동 사냥을 몇 시간 동안 돌려도 희귀 송편은 구경도 못했는데 여기에서는 줍지도 않을 정도라니.

“대박.”

웃음이 절로 난다. 그럴 수밖에 없다. 왜냐하면 이벤트 아이템인 송편은 무게가 0g이었으며 유통 기한이 엄청나게 길었기 때문이다.

구체적으로 말하자면.

2089년 10개월 이상.

* * *

이벤트 아이템. 송편의 설명은 이러하다.

[콩 송편(일반)]

섭취 시 회복력과 마나 회복력이 50포인트 증가한다.

유지 시간 4:00:00.

2089년 10월 14일까지 사용 가능.

효과는 심플하다. 무려 네 시간 동안 생명력과 마나의 지속적인 회복! 자동 사냥을 많이 돌리는 리벤지 유저들이 가장 좋아하는 기능이다.

기간 한정 아이템이기 때문인지 기본적으로 동급 음식들보다 효과도 좋다.

무게는 0g.

인벤토리 1칸에 99개까지 겹쳐진다. 무게도 없고 공간 차지도 적으니, 가능하기만 하다면 사람들도 부캐 인벤토리에 가득가득 채워 놓고 두고두고 썼을 것이다.

'하지만 그럴 수 없지.'

송편은 결국 기간제 아이템에 불과하다. 추석 기간, 그러니까 3일 동안만 드랍 되고 추석 다음 날 전부 비활성화 된다.

"아, 이게 예전엔 하위 송편을 모아서 상위 송편으로 만들 수 있었구나."

인터넷을 검색해 알아낸 정보에 의하면 지금의 이 높은 드랍률은 그때의 흔적이라고 한다.

다만 플레이어 중 일부가 어떤 버그를 발견해 전설 송편을 찍어 내게 되면서 문제가 터졌다고.

리벤지의 제작사 네메시스 소프트는 버그를 잡는 대신 레시피 자체를 없애 버리고 상위 송편의 드랍률을 늘리는 방향으로 대응했다고 한다.

"내 입장에서는 다행이네."

나는 다운로드 한 해부생리학을 체다의 배에 띄운 채 암기하며 손으로는 캐릭터를 움직여 송편을 계속 주웠다.

자동 전투는 있어도 자동 송편 줍기는 없었기 때문에 당연히 일일이 주어야 한다.

한 시간이 지나고.

두 시간이 지난다.

당연한 말이지만 그 과정은 재미가 없다. 이건 게임도 뭣도 아닌 노가다. 그러나 클릭 한 번 할 때마다 병사들이 먹을 한 끼.

그것도 버프가 더해지는 한 끼가 생겨 난다는 걸 생각하면 안 하는 게 멍청한 짓.

그리고 그렇게 3시간 동안 줍는다.

"오! 많이 모았다."

한 3시간 송편만 주우니 주운 송편의 수가 3,000개 이상! 심지어 희귀급 송편도 80개나 된다!

"로그인."

아르데니아로 들어선다. 1,000페이지가 넘는 해부생리학 책 중 이제 고작 10페이지 암기한 상태이거늘 집중력이 떨어졌다.

"아, 고등학교 때 이렇게 공부를 했으면 강철대를 갔을 텐데."

투덜거리며 마차에서 내린다. 어차피 인벤토리가 꽉 차 나와야 할 타이밍이었다.

"식사하시겠습니까?"

마차 근처에 대기하고 있던 플라워의 말에 고개를 흔들었다.

"됐고 스마일한테 파티장들 모아 달라고 전해. 나눠 줄 게 있다고…… 아, 모으는 김에 대기자들도 불러."

"네, 영주님."

플라워를 보내고 인벤토리에서 오색 송편(희귀)을 꺼냈다.

"어디 보자…… 희귀급도 접시에는 17개만 올라가네. 하긴 인 게임 내에서는 색깔만 다른 거니까."

송편 한 접시가 송편이라는 하나의 아이템이다. 인벤토리 안에서는 0그램의 중량을 가지고 있지만 현실로 꺼내면 당연히 무게가 있다.

양도 상당해서 한 접시를 다 먹으면 어지간히 건장한 사내라도 배가 찰 정도다.

'버프가 작동하는 타이밍은 마지막 송편이 입에 들어갔을 때. 즉, 나눠 먹으면 이건 그냥 식량일 뿐이다.'

마차 앞에 준비되어 있던 자리에 앉아 이런저런 테스트를 한 나는 잠시 후 모인 파티장들에게 일반 등급과 고급 등급의 송편들을 나눠 주었다.

송편이 하도 많아서 꺼내는 것도 일. 이제는 100명이 넘는 파티장들은 각각 수십 접시씩 송편을 받아 인벤토리에 챙겨 넣었다.

나는 송편을 나눠 주며 송편이 부여하는 버프에 대해 설명하고 유통 기한에 대해서도 알려 주었다. 그리고 각 파티장들의 추천과 두 기사의 평가 점수에 따라 모인 대기자들에게 클래스 카드를 하사했다.

새로운 정예병의 탄생, 마지막으로 나는 인벤토리에 자리하고 있던 장비를 쏟아 냈다,

"헌드레드, 이것들 챙겨 가라."

꺼내든 것은 열 자루의 철궁(일반).

사이클롭스 수련자들이 떨구는 몇 안 되는 일반 등급의 아이템이다.

'사이클롭스 사무라이가 왜 철궁을 떨구는지는 잘 모르겠지만…… 뭐 상관없지.'

"장궁이로군요! 마침 단궁들의 위력이 아쉽…… 음."

반색하던 헌드레드가 철궁을 들어 보더니 난감한 표정을 짓는다.

"무겁지?"

"네, 더구나 장력도 만만치 않군요."

게임에서야 활의 재질이 나무든 철이든 문제없다. 리벤지에 레벨 제한이나 스텟 제한이 있는 것도 아닌데 무슨

상관이겠는가?

그러나 물리법칙이 존재하는 현실에서는 장비와 재질의 특성을 잘 고려해야 한다.

"궁수 중에서 특별히 힘이 좋은 녀석들부터 적응시켜 보겠습니다. 다루기는 어렵겠지만 사거리나 공격력이 크게 개선될 것입니다."

"힘이 모자라면 아쉬운 대로 힘 스텟을 올리게 해. 민첩이 기본이긴 해도 이런 장비는 일단 다룰 수 있냐 없냐가 중요하니까."

"네, 영주님."

모든 지시를 마치고 저녁을 먹었다. 고기가 듬뿍 들어 있는 스튜를 먹고 후식으로 송편을 먹었다.

"어머…… 정말 맛있습니다. 영주님. 이렇게 달고 향긋하다니."

송편의 반응은 매우 좋았다. 음식에 단맛도 감칠맛도 부족한 이 중세 랜드에서 송편 정도면 엄청난 고급 음식이었다.

일반 등급의 콩 송편조차도 병사들 사이에서 호평을 받았다. 지금까지 보지 못한 쫄깃함이라나 뭐라나.

어쨌든 그렇게 하루가 지나고 다음 날.

우리는 빛의 기둥을 포위하고 있었다.

"둥그렇게 구덩이를 파! 더 깊게! 그리고 그 너머에 목책을 세워라!"

"빛의 기둥에서 고블린 수천 마리가 쏟아질 수도 있어! 서둘러라!"

어이없게도.

우리는 별다른 전투조차 없이 던전을 포위할 수 있었다.

"예상 밖이야. 던전에서는 리젠돼서 나오는 것만 가능할 줄 알았는데 거꾸로 들어갈 수도 있다니."

이건 게임과 전혀 다른 방식이었기에 홈페이지의 정보를 참고할 수도 없다. 애초에 리벤지에서는 몬스터가 필드에서 리젠되지 이곳에서처럼 던전에서 쏟아져 나오지 않는다.

"결국 직접 확인하는 수밖에 없다는 건가…… 소드맨. 정찰 파티가 들어간 지 얼마나 되었지?"

"이제 5시간째입니다."

"오래 걸리는군……."

혹시 던전 안에서 난이도를 선택할 수 있으면 무조건 이지 모드를 선택하라고 했는데도 이 정도라니.

'혹시 게임과 다른 난관이 생긴 것일까? 그래서 전멸했다고?'

차크라를 수련하며 던전 앞을 지킨다. 그렇게 24시간 후.

나는 인정할 수밖에 없었다.

'이건 전멸이군.'

착점마다 위치한 던전들은 어려우면 어려웠지 공략이 오래 걸리지 않는다.

퍼즐이 도입된 미로?

기믹이 필요한 보스?

그런 건 없다.

'리벤지는 그런 게임이 아냐.'

몬스터랑 싸워서 졌으면 내가 약해서 진 것이지 공략법을 몰라서 진 것이 아니다. 던전을 클리어 하려다 실패했으면 장비를 강화하고 클래스를 업그레이드 해야지 팬사이트에 가서 공략을 봐야 소용이 없다.

"내가 간다."

"영주님!"

플라워는 물론이고 주위에 있던 기사와 마법사. 병사 모두 깜짝 놀라 나를 돌아본다. 그러거나 말거나 나는 인벤토리에 있던 미스릴 전신 갑주를 장비 칸으로 옮겼다.

팟팟팟!

금속이라고는 믿을 수 없을 정도의 온기를 품은 미스릴 갑주가 전신을 뒤덮는다. 나는 나를 바라보고 있는 수하들을 바라보았다.

"몇 번이나 봤겠지만 고블린 놈들은 아무리 많아도 날

어쩔 수 없다. 녀석들의 공격은 내 갑옷을 뚫을 수 없고 내가 일단 달리면 화살보다 빠르니까."

"그렇다면…… 적어도, 적어도 같이 가게 해 주십시오."

스틸스톤의 말에 고개를 흔들었다.

"오크들하고 싸울 때는 죽을지 살지 몰라서 같이 갔던 거고. 지금은 그럴 필요가 없다. 내가 던전에서 오래 있을지도 모르는데 지휘부를 데려갈 수는 없지. 계획은 좀 바뀌었지만…… 소드맨!"

"네, 영주님."

"제일 괜찮은 파티 3개만 뽑아. 나랑 같이 간다."

"충! 소드! 스피어! 실드!"

"네!"

"준비해라!"

"네!"

세 개의 파티가 기다렸다는 듯 던전 앞에 도열한다. 방패병 하나, 검방병 둘, 창병, 궁수로 이루어진 5인 파티 3개였다.

"스틸 스톤, 헌드레드. 내가 나올 때까지 주변을 경계하고 병력을 보전해라."

"충!"

"스마일, 3클래스 빨리 찍어. 광역 마법 가르쳐 줄 테니까."

"헛! 네, 넵! 충!"

거의 비명을 지르는 스마일을 뒤로 하고 던전으로 향한다.

많은 병사들이 우려 섞인 눈으로 이쪽을 바라보았지만 감히 막아서지는 못한다.

그리고 그대로.

팟!

빛의 기둥에 들어선다.

[붉은 도끼 언덕]

도착한 곳은 전형적인 북방 지대였다. 쌀쌀하고 건조한 날씨, 흙보다는 바위가 많은 지질.

"……여긴."

눈에 익은 지형이다. 아니 눈에 익은 정도가 아니다.

"……북방 지대잖아?"

주변에 보이는 산맥의 모습은 던전에 들어오기 전과 전혀 다를 게 없다. 다만 다른 것이 있다면.

"인간! 인간! 인간 여기 인간이다! 갑옷 인간!"

"어? 저기, 저기 저기도 인간이다! 방패 든 인간! 인간이 나타났다!"

"저기도, 저기도 인간이다! 활 든 인간이다!"

산맥 여기저기 고블린 부락들이 자리하고 있고 그 사이사이에 고블린이 잔뜩 돌아다니고 있다.

"아!"

나는 이제야 상황을 파악할 수 있었다.

"이거 리벤지 배경 아냐? 몬스터들이 대륙을 장악한 그 상황? 아니 던전이 아니고 필드로 온다고?"

문제는 그뿐이 아니었다.

"크! 덤벼라, 괴물 놈들!"

"전부 모여! 주변에 누구 없어!?"

던전에 들어선 병사들이 거의 수백 미터씩 거리를 두고 하나씩 떨어져 있는 모습이 보인다.

다행히 숫자는 15명으로 온전했지만 이렇게 뿔뿔이 흩어져 있어서는 목숨을 부지할 수 없다!

쾅!

상황을 파악함과 동시에 땅을 박찼다. 동시에 하늘을 날아가며 펫 창을 연다.

〈철갑 코뿔소 스팅(희귀)이 소환됩니다!〉

쾅! 쾅! 쾅!

순식간에 수백 미터를 뛰어넘어 창을 들고 주변의 고블린과 싸우고 있던 병사에게 도달한다.

"영주님!"

반색하는 창병에게 말한다.

"코뿔소에 타! 놓치면 죽는 거다!"

그렇게만 말하고 다시 땅을 박찬다. 고블린들이 그 앞을 가로막았지만.

퍽퍽!

검을 휘두를 필요조차 없다. 몸통 박치기로 박살내고 그대로 달렸다.

쿵쿵쿵!

쏘아지는 속도는 화살과 같다. 나는 고작 입문자 수준의 경공을 밟고 있을 뿐이지만 오우거와 맞먹는 육체 능력은 땅을 디딜 때마다 거칠게 내 몸을 내던졌다.

퍽!

무릎에 치인 고블린의 머리통이 박살난다.

좌악! 좌악!

달려가며 대충 휘두른 검격에 몇 개의 머리통이 날아오른다.

"영주님!"

"타!"

나는 수백 미터를 달려 사방에 흩어져 있는 병사들을 모았다. 사방에 흩어져 소환이 되었다 해도 결국 용맥 주변.

초인이나 다름없는 내가 전력으로 헤집고 다녀 고블린들의 시선도 크게 끌린 덕분에, 모든 병사들을 한 자리에 모을 수 있었다.

다행히 15명 모두 무사했다. 궁수 2명이 좀 부상을 입었지만 포션으로 충분히 해결할 수 있는 수준.

그런데 그 순간이었다.

"어?"

용맥 한가운데 즈음. 움막이나 다름없는 고블린들의 건축물들 사이에 서 있는 녀석이 눈에 익다.

붉은 송곳 홉 고블린(희귀)

지바고

"……호오?"

병사들을 다 모았으니 차근차근 게릴라전을 펼치려던 난 즉시 계획을 변경했다. 헬 난이도 던전의 클리어 조건이 떠올랐기 때문이다.

쿵!

땅을 박차고 뛰어오르며 인벤토리의 뼈 장검을 꺼내 든다.

우드득!

온몸의 근육이 뒤틀린다. 꺾어저라 당겨졌던 허리가 벼

락처럼 굽혀지고-

한 줄기 빛이 홉 고블린을 향해 쏘아졌다.

쿠아아앙!

굉음과 함께 놈의 상체가 터져 나간다.

턱.

"허억……. 허억……."

"영주님! 괜찮으십니까?"

땅에 내려선 내 주위를 병사들이 둘러싼다. 그들의 어깨 너머로 신나서 달려오다 발걸음을 멈추고 어쩔 줄 몰라 하는 고블린들의 모습이 보인다.

그리고 그 순간.

[붉은 송곳 고블린 요새(일반~희귀)의 헬 난이도가 공략되었습니다!]

[조건을 우선 완료한 길드부터 공성전을 신청할 수 있습니다!]

[초라한 토성(일반)이 등장합니다!]

리벤지의 핵심은 공성전 등을 중심으로 하는 전쟁 콘텐츠다.

'리벤지 그거 그냥 자동 사냥만 돌리면 되는 방치형 게

임 같은 거 아냐?'

흔한 인식이지만 사실 잘 몰라서 하는 소리다.

압도적 매출 1위.

사실 곰곰이 생각해 보면 당연한 일이다. 게임 자체가 사람들한테 무슨 최면을 걸어 돈을 쥐어짜는 게 아닌 이상 사람들이 돈을 쓰는 데에는 그만한 이유가 있기 마련 아니겠는가?

'리벤지 플레이 타임 태반이 자동 사냥인 건 사실이지. 하지만 그건 엄밀히 말해 전투라 말하기 어렵다. 굳이 말하자면 자원을 채취하기 위한 일종의 파밍(farming. 농사)에 가깝지.'

즉, 자동 사냥으로 스펙을 맞추고, 그 스펙으로 전쟁을 벌이는 것이 리벤지의 진짜 콘텐츠라고 할 수 있다.

레이드 보스가 있다고 치자.

보통의 게임에서는 당연히 그 강대한 레이드 보스를 이겨 내는 것이 게임의 콘텐츠일 것이다.

죽든 말든 일단 도전해 레이드 몬스터의 스킬을 확인하고.

생명력을 가늠하고, 2페이즈, 3페이즈에 들어가는 조건을 확인하고.

특수한 기믹을 찾거나 해결해 공략맵을 짜고 다른 파

티, 혹은 길드원들과 지속적인 트라이로 호흡을 맞춰 레이드를 수행하는 것.

그러나 리벤지는 다르다.

레이드 보스가 등장할 시간이 되면 길드 하나가 선언한다.

"이번에 나올 사이클롭스 대검호는 저희 허크 길드가 잡겠습니다."

그러면 그에 대해 다른 길드가 입장을 밝힌다.

"동의하지 않습니다."

"나두!"

"저희도 마찬가지입니다."

"저희가 먹으려고 왔는데요?"

자, 이렇게 되면 결과가 어떻게 되겠는가?

전쟁이다.

레이드 몬스터가 하루 종일 자리를 차지하고 플레이어를 기다리거나 심지어 인스턴트 형식으로 도전자만큼 레이드 보스를 찍어 주는 다른 게임들과 다르게 리벤지의 레이드 보스는 단 한 마리뿐이고 심지어 일정 시간 등장했다가 사라진다.

때문에 리벤지의 플레이어들은 레이드 몬스터를 공략함과 동시에 스틸하려고 몰려드는 다른 플레이어들과 전쟁을 벌여야 한다.

상황이 극단적으로 꼬이면 죽고 죽이는 전쟁으로 서로 손해만 잔뜩 보고 시간이 지나 레이드 보스는 사라져 버리는 최악의 경우도 나오는 것!

때문에 플레이어들은 줄어드는 시간을 계속 확인하며 작전을 달리해야 한다.

적이었던 길드와 동맹을 맺어 다른 길드를 밀어내야 하고.

협상하고.

배신하고.

혹은 힘으로 찍어 누른다.

그리고 이 모든 과정은 수백 명 정도가 아니라 수천 명 혹은 수만 명 단위에서 이루어진다.

이 과정은 단순히 게임 내에서만 이루어지는 게 아니라서 인터넷상에서 언론전도 하고, 때로는 현실에 직접 얼굴을 만나 진행되기도 한다.

심지어 돈을 주고 사람을 매수하기도 하고 상대 길드에 스파이를 넣어 정보를 캐내기도 한다!

일반적인 게임에서는 상상조차 할 수 없는 [사회적인] 역량이 필요한 것이다.

'그게 리벤지가 매출 1위 게임인 이유지.'

전쟁의 재미.

인간과의 승부에서 승리하는 쾌감…… 프로그램으로

생성된 상대, 즉 NPC를 베어 넘기면서는 얻을 수 없는 재미다.

이런 점들은 그냥 게임을 좋아하는 플레이어에게는 큰 의미가 없지만 리벤지의 주 고객.

그러니까 '고래 유저(과금을 많이 하는 슈퍼 유저)'에게는 크게 어필되어 리벤지의 매출을 책임지고 있다.

'아니, 그래도 아이템 시세는 미친 게 맞지. 시세 좀 그만 올려 이 정신 나간 것들아! 늬들이 그렇게 돈이 많아!? 희귀템 좀 천 원에 사고 싶다!'

뭐 본론으로 돌아오자면.

리벤지는 보스 레이드도 전쟁이다.

필드에서도 좋은 사냥터를 두고 전쟁이 일어난다.

이벤트도 전쟁이고.

당연히 공성전도 전쟁이다.

"하. 그나마 던전 공략 하나 있었는데…… 이젠 그것마저 전쟁이야?"

물론 그 전쟁은 다른 플레이어들과의 전쟁이 아니라 몬스터들과의 전쟁이지만 리벤지의 몬스터들과 달리 이곳의 몬스터들은 무리를 짓고 작전을 짠다.

절대 만만치 않다는 뜻. 요번 붉은 도끼 언덕에서야 단박에 보스 몬스터를 처리해 헬 난이도 클리어 판정을 받았지만……. 이건 이런 '저렙 존'에서나 가능한 일.

대륙 중앙부로 갈수록 헬 난이도 클리어는 몹시 어려운 일이 될 것이다.

쿠구궁!

“읏! 뭐야!? 뒤로 물러나!”

“무, 물러날 것도 없이…… 땅이 우리를 밀어내고 있습니다!”

어느새 나는 던전에서 나와, 병사들 곁에 서 있었다.

워낙 혼란스러운 상황이고 던전 클리어가 순식간에 끝나 버렸기에 병사들은 내가 다시 나왔다는 걸 눈치 채지 못했다.

‘얼마나 걸린 거지? 한 15분 걸렸나.’

문자 그대로 순식간에 벌어진 일이다.

‘하지만…… 이게 가능한 건 보스가 희귀급일 때까지다.’

게임에서 던전을 깨도 이렇게 빨리 깨지는 못하리라.

당장 100km 아래.

그러니까 내 영지만 해도 그러하다. 그곳의 헬 난이도 보스는 소드 마스터가 아니던가?

내 무기 투척이 마스터들도 쉽게 따라 할 수 없을 정도로 위력적인 공격인 것은 사실이지만…… 그래 봤자 단순한 물리 공격일 뿐…….

경지를 넘어선 상대를 쓰러트릴 수준은 아니니다.

'지금의 내 전투 스타일을 굳이 표현하자면…… 양학에 최적화되어 있다고 할 수 있지.'

지구와 아르데니아를 오갈 수 있는 능력으로 인해 사실상 무한한 스테미너를 가지고 있고 치명상이 아닌 이상, 아니 설사 치명상이라도 회복시킬 수 있다.

그러나 만약.

단박에 나를 죽일 수 있는 적을 만난다면?

'지구에 아무리 왔다 갔다 해도 소용이 없지.'

그때 대지의 확장이 멈춘다.

보이는 것은 반경 1km 정도의 널찍한 공터 그리고…….

쩌적!

땅이 갈라지고 벽이 솟아난다.

"오오. 이럴 수가."

"세상에 성벽이!"

"영주님께서 뭔가를 하신 걸까? 이런 변화는…… 헉! 영주님!"

천칠백에 달하는 영지민들이 지켜보는 가운데 성이 점점 완성되어 간다.

성벽의 높이는 3.5m로 별로 높지 않다. 성벽이라기 보단 조금 높은 담벼락 수준이지만 거대한 컴퍼스로 그은 듯 완벽한 원형으로 빈틈없이 쌓여 올라가는 성벽의 모습은 나름 장관이다.

'뭐 그래 봐야 토성(土城)이지만.'

흙을 쌓아 만든 성벽은 좀 가파른 언덕에 불과하기에 육체 능력이 뛰어나다면 얼마든지 타고 올라갈 수 있다. 어디 그뿐인가? 비바람이 몰아치면 깎여 나가기도 하겠지.

"얼른 차지해서 바로 업글 해야지."

그렇게 다짐하고 있는 내 눈에 빛줄기가 떨어져 내리는 모습이 보인다.

그것들은 활을 든 고블린, 지팡이를 든 고블린이 되어 성벽 위에 자리 잡았다.

"소드맨."

"네, 영주님."

"성문을 부수고 들어갈 테니 그 뒤로 전 병력을 이끌고 전진해라. 성을 장악할 것이다."

"충!"

"스틸 스톤, 헌드레드. 너희 둘은 따라와."

"충!"

〈철갑 코뿔소 스팅(희귀)이 소환됩니다!〉

펫을 소환한다. 그리고 두 장의 카드를 두 기사에게 넘겨준다.

“이건…….”

“몇 번 봐서 알겠지? 바로 소환해.”

내 말에 스틸스톤과 헌드레드가 잠시 허공에 손짓한다.

팟! 팟!

완전히 동일하게 생긴 두 마리의 준마가 두 기사의 뒤에 각각 소환된다.

철갑기마 제인(고급).

화살 공격을 받을 수 있다는 사실을 감안한 선택이었다.

“오오! 덩치가 제법이군요!”

“이토록 훌륭한 강철 마갑이라니!”

두 기사는 반색하며 좋아했다. 명색에 기사(騎士)인데 뚜벅이로 다닌 시간이 너무 길어서인지 감격까지 하는 분위기다.

‘원래 가지고 있던 말은 오크 놈들한테 다 죽었으니, 원.’

진작 줄걸 그랬나. 하고 약간 후회하며 공성전 UI를 선택한다.

공성전은 총 4단계로 진행된다.

1. 자격 있는 길드가 공성전을 선포한다. 공성전은 이주에 한 번만 진행된다.

2. 공성이 시작되면 최대 10개의 길드가 공격팀이 되고 기존 지배 길드는 방어팀이 되어 외성 전투를 진행한다. 외성 전투는 성문이 파괴될 시 종료된다.

3. 성문이 파괴되면 내성 전투가 진행된다. 전투는 내성 안의 수호탑이 파괴될 시 종료된다.

4. 수호탑이 파괴되어 결계가 사라지면 영주성에 공격팀이 침입한다. 마지막 전투는 옥좌에서 이루어지며 공격팀의 길드장이 옥좌에 이름을 각인하게 되면, 공성전이 종료된다.

나는 [공성전 선포]를 선택했다.

[한 길드에서 붉은 송곳 고블린 요새에 공성전을 선포했습니다!]

[공성에 참가하길 원하시는 길드들은 공성전을 선포해 주세요!]

만일 아르데니아 대륙에 다른 길드가 있어서 UI의 공성전 선포를 선택하면 공성전 시간이 다소 뒤로 미뤄지고 공성전 자체도 경쟁으로 치러야 한다.

'그렇게 되면 좀 번거롭겠지만.'

그러나 당연하게도 지원 길드는 없었다.

하기야 어떻게 운이 좋아 클래스 카드를 먹은 사람이 있을 수는 있어도 그가 길드까지 만들긴 불가능한 일이리라.

아무리 한글로 되어 있어도 중세시대를 살던 사람들에게 시스템 UI란 몹시 낯선 존재. 하물며 길드를 창설하려면 20이 넘긴 레벨과 상당량의 골드가 필요하다.

쿵쿵쿵!

철갑 코뿔소와 철갑기마가 토성을 향해 달려간다. 나는 달려가며 말했다.

"음식 먹어."

"네!"

두 기사가 인벤토리에서 송편 접시를 꺼내 하나씩 집어 먹는 모습을 확인한 뒤 나 역시 송편을 꺼내 삼켰다.

[쑥 송편(고급)를 섭취하였습니다! 4시간 동안 회복력과 마나 회복력이 100포인트 증가합니다!]

송편 접시를 대충 집어던지고 뼈 장검을 꺼낸다. 저 멀리 성문과 성벽. 그리고 그 위에 서 있는 고블린들이 보인다.

'전투를 길게 끌 필요가 없어.'

내가 과금한 돈이 얼마던가? 수천만 원이다.

리벤지에서 이 정도 과금한 플레이어가 이런 저렙존에서 사냥하고 있으면 다른 유저들한테 욕먹을 것이다.

꾸드득!

근육이 뒤틀린다. 그리고 달려가던 그대로.

그것을 쏘아낸다.

쿠아아앙!

굉음과 함께 빛줄기가 성문을 후려친다.

콰콰쾅!

반작용으로 거칠게 달리던 스팅의 몸이 한순간 멈춰 버렸지만 녀석은 푸륵! 하고 콧김 한번 내뿜더니 다시 속도를 붙였다.

고개를 들어 다시 정면을 바라보니, 박살 난 성문이 보인다.

"성문이 부서졌다! 전진하라!"

"열 맞춰! 달리지 마!"

뒤에서 들리는 고함 소리를 들으며 달린다.

"강철 인간! 강철 인간 달려온다!"

"활을 쏴!"

"돌을 던져라!"

성벽 위의 고블린들이 기겁해 비명을 지르는 소리가 들

렸지만.

우리는 아무렇지 않게 그것을 얻어맞으며 성문을 통과해 버렸다.

콰콰콰!

박살 난 성문 잔해를 짓밟으며 스팅이 돌진한다. 그 뒤로 철갑기마를 탄 두 기사가 따라붙는다.

[외성 전투가 종료되었습니다! 내성 전투가 진행됩니다!]

콰쾅!

일직선으로 길게 이어진 대로를 따라 날아간 뼈 장검이 수호탑을 파괴한다.

[내성 전투가 종료되었습니다! 영주성으로 진입할 수 있습니다!]

"로그아웃!"

그리고 원룸으로 돌아간다.

"하악…… 하악…… 헉헉!"

거친 숨을 내뱉으며 팔을 주무른다. 오른팔이 손끝부터 어깨까지 검게 멍들어 있다. 투척을 너무 남발한 대가.

나는 즉시 클래스를 변경했다.

★☆전직 완료☆★

검왕 =〉 채플린

"힐!"

망설임 없이 스킬을 사용한다. 그리고 침대에 누워 쉬었다.

자체적인 재생력과 음식의 효과. 거기에 힐이 더해지자 다행히 검게 멍들었던 팔이 원 상태로 돌아오기 시작한다.

"와, 투척 생각보다 효과 좋은데?"

처음에는 궁여지책으로 쓴 기술인데 그 성능이 상상 이상이다. 300미터도 넘는 유효 사거리에 성벽도 단번에 파괴하는 위력이라니?

게다가 투척은 반작용을 걱정할 필요가 없어서 높은 근력에 비해 부족한 생명력과 체력을 가진 나와 찰떡이다.

"무기 차크라가 아니라 투척 차크라를 열어 볼까? 투척 차크라 수련할 만한가?"

고민하며 휴식을 취한다. 물론 아주 쉰 것은 아니고 좀 괜찮은 왼팔로 마우스를 잡아 송편을 주웠다.

"로그인."

쿠콰콰콰!

돌진한다. 막는 적은 거의 없었다. 고블린들이 거의 다 성벽에 집중되어 있었기 때문이다.

기겁한 고블린들이 성벽에서 내려와 쫓으려 들었지만 그 짧은 다리로 달리는 말을 따라올 수 있을 리 없다. 오히려 자리를 비웠다가 뒤따라 들어온 병력들이 아무 피해 없이 성 안으로 들어올 수 있었을 따름이다.

그야말로 오합지졸. 우왕좌왕이 따로 없다.

쾅!

영주성으로 들어간다. 덤벼드는 고블린들을 갈아 버리며 옥좌에 도달했다.

"날 지켜!"

"네, 영주님!"

[한재연 님이 옥좌에 각인을 시도 중입니다!]

공지가 뜬다. 얼른 달려와서 막으라는 뜻.

그러나 이곳에 다른 길드 따윈 없었고.

"하압!"

"흡!"

겨우 고블린들로는 오러를 다루는 두 기사를 뚫을 수 없었다.

그리고 그렇게 15분이 지났다.

[축하합니다! 한 길드가 붉은 송곳 고블린 요새를 점령했습니다!]

[새로운 성주. 한재연.]

다른 길드 소유의 성이었다면 공성과 수성이 바뀌어 다시 진행되었겠지만 중립성이었기에 그대로 공성이 끝난다.

사방에서 악을 쓰던 고블린들이 한순간에 다 사라져 버리고 옥좌에는 우리 셋만이 남았다.

"후우…… 후우…… 끝났군요."

"공성이 이토록 빨리 끝나다니. 예전에 이런 말을 들었으면 절대 믿지 못했을 겁니다."

"하지만 특이하군요……. 옥좌를 차지하면 공성이 성공이라니……."

"뭐, 다들 고생했어."

그렇게 말하며 앞으로의 계획을 점검한다.

'해야 할 일이 태산이다.'

성을 먹었으니 이제 이곳에 머무는 정예병들은 천천히 여신의 가호가 차오르게 된다.

그리고 그렇게 여신의 가호가 차오른 상태에서 사냥을

한다면? 여신의 가호가 소모될 테고 나는 길드 경험치를 얻을 수 있겠지.

'성을 먹었으니 중앙에 다시 던전이 생길 거야. 내가 성주니까 던전에 세금을 물릴 수도 있고……. 아. 판매 NPC도 생길까? 확인해야 할 게 많군.'

온갖 계획이 머릿속에 떠올랐다 사라진다. 병사들의 훈련 계획과 내 새로운 영지의 운영에 대한 온갖 상념들이 어지럽게 날아다닌다.

콰콰쾅!

그러나 이어진 폭음과.

"아우우-------!"

긴 늑대 울음은 그런 내 상념을 송두리째 날려 버린다.

"뭐야?"

"이 울음소리는…… 말도 안 돼."

"늑대왕? 늑대왕이 여기 왜? 용맥에 마수가 들어온다니……!"

깜짝 놀라는 두 기사를 뒤로하고 영주성에서 뛰쳐나갔다.

"하하하! 오! 그래 친구! 이제 들어올 수 있어? 잘됐다, 잘됐어."

"……."

나는 어느새 성 한가운데 들어와 있는 늑대와 그 등에 타고 있는 오크의 모습에 이를 악물었다.

너무 갑작스러운 일이고, 전혀 준비하지 못하던 상황이다.

"오! 거기 인간 꽤 세 보인다. 네가 여기 대빵이야?"

신나 보이는 목소리에 신음한다.

"……이런 미친."

발칸 오크 대장군(영웅)

칸 슬래셔

그곳에, 소드 마스터가 있었다.

나의……. 적으로서.

"누구냐!"

"오크! 오크다!"

"늑대왕!"

뒤늦게 영주성에서 뛰쳐나온 스틸스톤과 헌드레드. 그리고 몰려 온 병사들이 무장을 들어 올리며 전투태세에 들어간다.

"흠. 네까짓 것들이 날 어쩔 수 있을 리 없지만."

그리고 그 모습에 칸 슬래셔가 싱긋 웃는다.

"그래도 포위당해서 좋을 건 없겠지?"

"……안 돼!"

기겁해 소리를 질렀지만 그걸로 녀석의 검을 막을 수는 없었다.

핑.

가벼운 바람 소리. 허공에 하나의 선이 그어지고.

쩍!

"……어? 가슴팍에 선이."

"수, 숨이…… 숨이…… 끄르륵……."

다가서던 방패병들이 방패째로 썰려 나간다. 철판을 덧댄 두꺼운 가죽방패는 상당한 방어력을 지닌 물건이었지만, 검기를 상대로는 의미 없는 일이다.

뚜득.

온몸의 근육이 뒤틀린다. 왼발은 단단히 땅을 디디고 뻐 장검을 든 팔이 바닥에 닿을 때까지 당겼다.

그리고 투척.

쩌…… 엉!

굉음이 들린다. 자신만만하게 웃고 있던 칸 슬래셔가 5미터쯤 밀려나 있는 모습이 보인다.

검을 든 녀석의 표정에 황당함이 가득하다.

"이게…… 뭐야? 지금 던진 거야? 칼을?"

우르르!

그 즈음 상하체가 분리된 방패병들이 무너져 내린다.

일 검에 서른이 넘는 정예병이 죽었다.

뿌득!

근육을 쥐어짠다. 왜냐하면 알고 있었기 때문이다.

'잘못 접근하면…… 죽는다!'

검기를 다루는 소드 마스터는 근접전의 스페셜 리스트. 살아 움직이는 살육 병기다.

지구에서야 '어차피 기가스 타면 별 쓸모도 없는 검기.'라며 무시당하지만 서로가 무기만 하나 달랑 가지고 있다 가정했을 때, 무공 수련자는 모든 이능력자들을 통틀어 최상위급 전투 능력을 갖는다.

쩌정!

나를 향해 몸을 날렸던 칸 슬래셔가 뼈 장검을 쳐 내며 뒤로 밀려난다.

녀석은 검기와 놀라운 반사 신경으로 뼈 장검을 쳐낼 수 있었지만, 아무리 그래도 거기에 담긴 무지막지한 물리력을 없던 것으로 할 수는 없었다.

'좋아! 피하지 못한다!'

내가 던지는 뼈 장검의 속도는 단순 투척이라고 치부하기엔 과할 정도로 빠르다.

물론 소드 마스터쯤 되면 총알도 피하는 괴물이지만, 그건 총알이 점(點)의 공격이라 가능한 일이지 뼈 장검처럼 넓은 범위를 그어 버리면 회피가 불가능하다.

아무리 소드 마스터라도 몸 전체가 음속으로 움직이는 건 아니기 때문이다.

"접근하지 마라! 거리를 벌리고 원거리 공격만 시도해!"

그렇게 소리치고 포션을 한 병 마셨다.

"로그아웃."

지구로 돌아온다. 나는 입에 가득 머금고 있는 포션을 천천히 마시며 팔을 주무른다.

이번에는 왼팔이다. 뿐만 아니라 등근육도 실핏줄이 죄다 터지고 근섬유가 끊어진 듯 아프다. 근육들이 얼마나 놀랐는지 가만히 있어도 경련을 일으킬 정도다.

"아, 소드 마스터. 소드 마스터 어떻게 하지……."

전력을 다한 투척으로 조금의 이득을 보긴 했지만 아직까지 칸 슬래셔에게 입힌 피해는 전무(全無)하다.

반면에 공격을 한 나는 몸 상태가 엉망이 되었으니 로그아웃 능력이 없었다면 장난감처럼 놀아나다 죽음을 맞이했겠지.

"힐!"

클래스를 바꿔 치료 마법을 쓰고 잠시 침대에 누워 쉬었다. 다행히 송편 버프의 힘이 남아 있어 서서히 몸이 치유되는 게 느껴졌다.

"아, 희귀급 송편을 먹었어야 했는데!"

지금이라도 먹고 싶었지만 이미 늦었다.

아르데니아에서 칸 슬래셔와 나와의 간격은 고작 50m.

날 죽이려 드는 소드 마스터가 지척에 있는데 송편 17개를 먹는다?

죽겠다는 말이다.

딸깍. 딸깍.

나는 체력을 회복할 겸, 양팔과 등 쪽 근육을 회복시킬 겸 휴식을 취하며 송편을 주웠다.

시커멓던 팔이 푸르딩딩해졌을 때 즈음 어떤 캐릭터가 내 곁으로 다가온다.

토끼공듀 : 저기요! 저기요!

킬리언스쓰리 : 네?

토끼공듀 : 송편은 왜 줍고 계신 거예요? 24시간 게임 돌려도 어차피 먹을 수 있는 송편은 6접시가 한계잖아요.

당연한 의문이었다.

그나마 리벤지가 죄다 자동 사냥을 돌리는 게임이라 아무도 관심을 안 가졌던 것이지 사람이 직접 플레이하는 게임이었으면 지나가는 사람마다 와서 질문했을 것이다.

몇 시간 동안 쓰지도 못할 소모품을 줍고 있으니 누가

봐도 이상하다.

"흠. 걍 씹는 건 좋은 방법이 아니지…… 신고를 할 수도 있고 거슬린다고 죽여 버릴지도 모르니."

때문에 나는 침착하게 채팅을 쳤다. 이럴 때는 논리적인 답변보다 차라리 개소리를 해야 한다.

킬리언스쓰리 : 쓰레기를 치우고 있습니다.

토끼공듀 : ?

킬리언스쓰리 : 환경 보호. 그것이 내 운명이니까……

토끼공듀 : ……뭐야 이건. 뭔 컨셉이야?

다행히 녀석은 흥미를 잃고 떠나갔다.

그리고.

"로그인."

쩌엉!

"아니…… 이게 말이 되나? 어떻게 이딴 속도로 검을 던지지?"

땅을 박차고 날아오르려던 칸 슬래셔가 다시 주르륵 밀려난다. 이해가 안 간다는 표정으로 나를 노려보던 그는 이내 피식 웃었다.

"나름의 장기인 모양인데……. 과연 어디까지 할 수 있는지 한 번 볼까?"

그러곤 자세를 낮춘 그에게서 강렬한 기세가 뿜어진다.

고오오……

걸친 거라고는 가죽 바지 한 장. 들고 있는 거라곤 한 자루의 태도(太刀)가 전부.

그러나 그가 진심이 되자…… 나는 물론이고 몰려든 수백의 정예병들이 압도되어 제대로 숨도 쉬지 못했다.

그는 검의(劍意)를 완성한 자.

소드 마스터.

'이런 제길.'

나는 깨달았다. 생에 그 어떤 때보다 강렬한 예지가 머리통을 찌르는 게 느껴진다.

'이번엔 빗나간다.'

아직 던지지 않았음에도 알 수 있다.

이번 투척은 빗나갈 것이다.

뼈 장검을 피한 녀석은 벼락처럼 다가와 나를 자신의 [간격] 안으로 집어넣을 것이다.

그리고.

'죽는다.'

대화를 해야 한다.

"잠깐, 무슨 목적으로 100km나 떨어진."

그러나 칸 슬래셔가 땅을 박찬다.

"죽엇!"

난 뼈 장검을 던졌다.

"이런 씨발!"

쩌엉!

굉음과 함께 칸 슬래셔의 몸이 주르륵 뒤로 밀려난다.

그의 얼굴이 흉신악살처럼 일그러져 있다.

"비겁한 놈! 감히 내 친구를 노려!?"

"크르르!"

살기를 뿜어 대는 두 짐승을 보며 식은땀을 흘린다.

'다행이다.'

만일 칸 슬래셔가 늑대왕이 죽든 말든 상관하지 않았으면 잘못된 선택의 대가로 난 목을 내놔야 했을 것이다.

나는 인벤토리에서 새로운 뼈 장검을 꺼내 투척 자세를 취한다.

"로그아웃."

지구로 돌아와 머리를 쥐어뜯는다.

"어떻게 하지? 어떻게 하지? 어떻게 하지?"

짐작하고 있던 대로 전투력의 차이가 막대하다. 일격에 성문을 때려 부수는 투척 공격을 세 번이나 맞고도 조금의 타격도 입지 않았다.

"지구에서 수련이라도 하고 가야 하나?"

그러나 어림없는 소리다. 지구에서 수련을 해서 강해질 수 있었으면 과거의 내가 왜 방황하며 살았겠는가?

전투력은 과금을 해서 올려야지 지구에서 백 년, 천 년 수련해 봐야 아무 소용없다. 기교야 늘겠지만 근본적인 역량이 성장하지 않으니 다 소용없는 이야기다.

“아니! 왜 100킬로미터나 올라와서 지랄이야!”

이를 갈며 송편을 줍는다. 그러다 캐릭터를 변경해 자동 사냥을 시키고 접속기에 들어갔다.

“어떻게 하면 소드 마스터를 이기죠?”

“뭔 소리야. 네가 소드 마스터를 어떻게 이겨?”

소향이 기가 막힌다는 표정을 지었다.

“제가 지금 이 상태에서 오우거 정도의 근력을 가지고 있다면요?”

“바로 그 오우거가 덤벼도 어림없는데? 절정 고수를 너무 무시하는 거 아냐?”

구국절절 옳은 소리다. 그래서 나도 한동안은 내 영지 근처에도 갈 생각이 없었으니까.

“하지만 그래도 싸워야 한다면?”

차분한 반문에 이제야 진지한 질문이라는 것을 파악한 소향이 말한다.

“그래도 싸워야 한다면…… 기가스에 타야지.”

“아 좀! 기가스가 있으면 질문을 했겠어요?”

“나 참 조건 까다롭구먼. 그렇다면…….”

잠시 고민하던 소향이 말한다.

"최소한, 검기를 버틸 무기와 검기의 충격력을 막아 낼 영능이 있어야 한다."

접속기에서 나온다. PC 앞에 앉아 거래소를 뒤진다.

"하."

그리고 신음했다.

"뭔 스킬 하나가……."

검색한 스킬은 이것이다.

검기 발현(영웅).

"15,000다이아……."

150만 원이다. 정예병을 100명도 더 만들 수 있는 돈. 게다가 지금까지의 전투에서는 어차피 검기 발현은 필요가 없었다.

'어차피 칼 맞으면 다 죽었으니까.'

그러나 이제는 다르다.

장비를 보호하기 위해서, 또 검기 특유의 충격력을 막아 내기 위해서라도 검기가 필요했다.

"아, 뭔가 시세 장난 같은 거 아냐? 내가 급해서 산다. 급해서."

투덜거리며 구입 버튼을 누른다.

[이미 판매된 상품입니다.]

"제길……."

결국 16,000다이아에 스킬을 구매하고 이번에는 장비를 선택한다.

발할라(영웅)
무기 데미지 +33
명중 +11
모든 스텟 +2
스킬 데미지 증폭 +10%
재질 : 아다만티움 (손상 방지)

썩 효율이 좋은 무기는 아니다. 무기에 문제가 있는 것은 아니고 현실 구현의 문제다.

'명중이 달려 있다.'

명중, 회피, 치명타, 패링 등등의 옵션들은 아르데니아에서 아무런 가치가 없다.

왜냐하면 현실에서의 전투는 확률에 의해 굴러 가지 않기 때문이다. 내 공격이 적의 몸에 닿으면 명중이고 목이나 머리를 치면 치명타. 공격을 쳐 내면 패링이니 확률 스텟은 없는 거나 다름없는 상황.

내가 장비를 구매할 때 그런 옵션이 달린 장비들을 철저하게 피해 왔던 건 굳이 말할 필요도 없는 당연한 일이었다.

'하지만 이번엔 어쩔 수 없다. 아다만티움 재질 검 중에 영웅 이하는 이거밖에 없어.'

장비에는 [재질]이라는 개념이 존재한다.

나무, 청동, 철, 은, 금, 미스릴 등등…….

같은 등급이라도 재질에 따라 가격이 천차만별이고 수리 비용, 특성이 각양각색 심지어 성능에서도 차이가 난다.

그중에 아다만티움은 손상 저항 특성을 가진다.

"게임에서는 그저 골렘이나 바위 정령 등에 가진 [무기 파괴]에 저항하는 능력이지만 아르데니아에서는 아다만티움으로서의 역할을 제대로 하겠지."

아다만티움은 기가스 제작에도 많이 쓰이는 레어 메탈로 검기로도 베어 낼 수 없다.

기가스가 영자력 실드를 꺼도 소드 마스터의 공격을 우습게 버텨 내는 이유이기도 하다.

당연한 말이지만.

가격은 역시나 비쌌다.

"120만 원…… 와, 추석 상여금 받아서 천만다행이네."

구매한 후 강화 주문서로 +6강으로 만들었다. 6강까지는 실패가 없어서 아무런 문제가 없다. 7강부터가 문제지.

"후."

의자에 앉아 호흡을 고른다. 로그아웃 직전의 전투 상황을 되새기다 온몸의 신경을 집중시킨다.

그리고 말한다.

"로그인."

아르데니아로 들어간다.

그리고 던진다. 이번에도 목표물은 늑대왕이었다.

쩌엉!

"너! 이 새끼!"

칸 슬래셔가 분노의 고함을 내질렀지만 듣지도 않는다.

검을 내던진 직후 인벤토리에서 두 개의 아이템을 꺼내 들고 있었기 때문이다.

[검기 발현(영웅) 스킬을 획득했습니다!]

나는 발할라(영웅)+6을 들고 방어 자세를 취했다. 몇 번이고 머릿속으로 시뮬레이션 하고 있던 만큼 그 모든 과정이 신속하다.

내가 검을 던지고, 스킬을 습득하고, 아다만티움 검을 들기까지 걸린 시간은 고작 0.5초.

그러나 그 시간은.

섬뜩.

죽기에 충분한 시간이다.

"씁!"

신음하며 허리를 튕긴다. 화살보다 빠른 속도로 상체가 뒤로 젖혀진다.

그 덕에 내 목을 자르고 지나갔어야 할 검기는.

내 목을 자르고 지나갔다.

반만.

촤아악!

피가 터져 나온다. 나는 넘어지는 와중에도 왼발로 땅을 단단히 디뎠다.

그리고 오른발을 걷어찼다.

쾅!

"뭣!?"

아무리 그래도 이 공격은 전혀 예상치 못한 듯 복부를 얻어맞은 칸 슬래셔가 하늘로 날아간다.

안타까움에 절로 눈이 찡그려진다.

'제길 낭심을 차려고 했는데 그 상황에도 피하네!'

쿵!

넘어진다. 사방에서 병사들이 뛰어온다.

나는 목 근육을 조정해 혈관을 압박. 지혈을 시도하며 인벤토리에서 포션을 꺼내 마셨다.

멀리 날아갔던 칸 슬래셔가 무지막지한 기세로 달려오는 모습이 보인다.

"영주님을 지켜라!"

"방패를 들고 덮쳐!"

"활을 쏴라!"

병사들이 칸 슬래셔의 앞을 막아선다. 나는 입을 열어 소리치려 했지만.

"컥! 그웨엑!"

피만 토한다.

콰악!

기껏 마신 포션이 잘려진 목젖을 통해 밖으로 뿜어진다.

콰드득! 쩍!

"크악!"

"컥!"

"물러서지 마라! 영주님을 지켜!"

"크…… 륵! 로그아웃!"

검기가 십 수 명의 정예병을 쪼개 버리는 모습을 마지막으로 지구로 돌아온다.

나는 덜덜 떨리는 손으로 수인을 맺었다.

어이없게도 이 와중에 차크라의 경지가 올랐다. 신체의 차크라가 제3문 거문(巨門)에 들어선 것!

내 의식 속에 선택지가 주어진다.

1. 회복.
2. 강화.
3. 변형.
4. 진화.
5. 신체.

나는 당장 필요한 회복을 거듭해 선택하고 수인을 완성했다.

"신체(身體). 거문(巨門). 개방(開放)."

회복 쪽으로 특화시킨 차크라가 전신을 감싼다.

치이익!

목에서 수증기가 피어오른다. 나는 자리에서 꼼짝도 못하고 자리에서 몇 시간을 치료에 집중했다. 끊어진 혈관과 혈관을 잇고, 근육과 신경을 원래의 형태로 되돌린다.

치료가 끝나고도 한참을 꼼짝 못했다. 조금만 움직여도 동맥이 터져 나갈까 두려웠기 때문이다.

그러나 시간이 계속 흘러 오후 7시 30분이 되자.

"아…… 시발."

욕을 하며 자리에서 일어난다.

진짜 욕이 자동으로 나온다.

"시발."

출근할 시간이었다.

* * *

"거기, 츄리닝은 안 돼. 복장 갖춰서 다시 와."

"네에? 아니 아저씨 츄리닝이라뇨? 이게 요새 얼마나 잘나가는……."

"다음."

"아니 아저씨! 지금 보자 보자 하니까!"

"……보자 보자?"

"아, 아니 그러니까. 죄송하다고요. 정색하실 필요는 없잖아요……."

언제나처럼 수질 관리를 하고 있다. 가끔 항의하거나 소란 피우는 녀석들은 압박하거나 쫓아내고 술에 떡이 된 녀석들은 클럽과 계약한 택시에 태워 보내 버린다.

한참 일하고 있는 내 곁으로 창식이 다가온다.

검은색 바지에 흰색 긴팔 와이셔츠를 입고 살짝 타이트한 검은색 조끼로 멋을 부린 녀석은 스타게이트에서 일하고 있는 웨이터다.

"어우, 재연이 형. 오늘 너무 날카로운 거 아니에요? 애새끼들이 기를 못 펴네."

나는 창식이 주는 과일 음료를 호로록 마시고 컵을 돌려주었다. 녀석은 내 옆에서 담배를 물더니 나직한 목소리로 묻는다.

"저기 그런데 목에 그건 뭐예요? 어젠 분명 없던 건데."

지금 내 목에는 목 반절을 가로지르는 커다란 흉터가 나 있다. 어쩔 수 없는 일이었다.

아무리 회복의 차크라를 열고 송편 버프의 힘을 빌린다 한들 이 치명적인 상처가 흔적도 없이 회복될 수는 없기 때문이다.

"훈련."

"아니…… 무슨 훈련을 해야 상처가 그렇게 나요? 단두대 맨몸으로 버티기, 뭐 그런 거 해요?"

어이없다는 반응이 돌아왔지만 그렇다고 솔직하게 대답해 줄 수도 없는 일이다. 내가 다른 세상의 소드 마스터한테 목 잘려 죽을 뻔했다고 알릴 수는 없는 일 아닌가?

"분위기가 되게 위험해 보인다고 늘 생각해 오긴 했지만 아무리 그래도…… 형 무슨 범죄 조직하고 엮여 있고 그런 건 아니죠?"

창식의 말에 나도 모르게 헛웃음을 터뜨렸다.

"지구에 제대로 된 범죄 조직이 어디 있냐? 다 기업 따까리나 소꿉장난 정도지."

"오오. 소꿉장난. 오오…… 멋져요 형."

웨이터 일을 해서일까? 암흑가에 묘한 환상을 가지고 있는 창식이 놈의 말을 대충 넘기고 고민한다.

'단기간에 로그인이 어렵겠는데…….'

멀쩡히 서서 근무 중이지만 아직 부상에서 완전히 회복되지 않았다. 피를 너무 많이 흘린 데다 기도까지 상한 공격에 아직도 숨을 쉴 때마다 통증이 느껴진다.

무엇보다 가장 큰 문제는.

송편 버프가 끝났다는 것이다.

'돌겠네. 진짜.'

버프는 날짜가 아니라 유지 시간이 흘러가는 방식이기에 현실에서 시간을 보내도 효력이 다한다. 내 회복력이 뚝 떨어졌다는 뜻이다.

아쉬운 대로 탱커 클래스로 전직했지만 생명력만 올랐을 뿐 회복력이 달려 있지 않아 몸 상태가 쉽게 나아지지 않는다.

"저, 안녕하세요."

퇴근 준비를 하던 나에게 손님이 찾아온다. 앞머리를 내리고 높게 묶은 머리, 늘씬한 몸을 스타일리시하게 덮은 후드 티셔츠가 인상적인 미녀.

내가 차크라 수련을 시작하게 된 계기. 클럽 DJ 스칼렛이다.

“무슨 일입니까?”

“저, 저기 전엔 죄송했습니다! 제가 너무 무례했죠?”

평소 활기찬 이미지와 달리 극도의 저자세에 나는 그녀가 뭔가 오해하고 있다는 사실을 깨달았다.

‘설마 내가 천문이 열려 있다는 사실을 알지는 못하겠지.’

워낙 비정상적인 일이기도 했고 무엇보다 그녀가 초월의 경지를 읽어 낼 리 없다는 확신이 있었다.

초월은 그리 만만한 개념이 아니다. 34지구에서야 삼신과 게임마스터가 있어서 그 의미가 바래지만, 엔간한 행성에서 초월자란 그 행성의 지배자이자 인세의 신(神)이라는 의미를 가질 정도였으니까.

아마도 그녀가 감지한 것은 ‘그녀가 감지할 수 있는 가장 높은’ 수준의 차크라일 것이다.

“불편하니 적당히 하세요. 오해하고 있는 모양인데 전 어르신이 아닙니다.”

“어르신…… 아니에요?”

‘역시 그렇게 생각했던 건가.’

하긴 그게 아니라면 이렇게 굽실 댈 이유가 없으리라. 자의로 은둔하고 있는 어르신의 정체를 까발리는 것은 암묵적인 금기나 다름없으니까.

“아닙니다.”

"아니 그럼 나이가 어떻게 되세요? 아차! 소개가 늦었어요! 천안 김희정 어르신의 증손녀 김혜영이라고 합니다."

"한재연입니다. 23살이고 할아버지가 이민자입니다."

"윽. 제가 또 실수한 건가요? 하, 하지만 말이 안 되는데. 23살에 어르신도 없는데 어떻게……?"

당황하는 그녀의 모습에 고개를 흔들고는 말했다.

"됐습니다. 하여튼 용무 끝났으면 전 먼저 가 보지요. 다음 일 가야 해서."

"아, 그, 네. 저기…… 그래도 이건 받아 주세요!"

그렇게 말하며 손바닥보다 조금 더 커 보이는 술병을 내민다.

"주정뱅이 시리즈 '편안한 밤'입니다. 여러모로 죄송해요. 그냥 친해지려고 했던 건데……."

"네. 우리 문제는 이걸로 해결된 거로 하죠."

술병을 대충 챙기고 손을 흔든다. 스칼렛은 귀신에 홀린 표정으로 나를 보내 주었다.

'대체 내 경지를 뭐로 봤기에 이렇게 저자세야? 오해가 풀려도 이 정도라니.'

그러나 그 오해를 이용하고 싶지는 않다. 기본적으로 사기나 다름없는 행태인 데다 아직 외부에 내 능력을 드러내고 싶지 않았기 때문이다.

"그보다 칸 슬래셔가 문제인데."

편의점 카운터에서 체다의 배 위를 톡톡 찍는다.

캐릭터는 열심히 송편을 줍고 있다.

"송편 먹을 틈은…… 도저히 안 나오겠지?"

이제 송편 버프가 끝났으니 전과 같이 치명상을 입으면 버티지 못하고 사망할 것이다. 물론 나에겐 회복에 특화한 차크라가 있지만…… 기본적으로 검기에는 회복을 방해하는 힘이 있다.

살갗이 좀 베이는 정도는 상관없어도 동맥이 끊기거나 뼈가 잘려 나가면 버티지 못할 것이다.

"아르데니아. 접문(接門). 개방(開放)."

정신을 집중하고, 문을 연다. 내면에 거대한 세상이 펼쳐지는 것이 느껴진다.

그 안에서 인벤토리를 인식. 아이템을 꺼내 든다.

"소환(召喚). 콩 송편."

팟!

송편 한 접시가 손에 잡힌다. 나는 송편 17개를 삽시간에 먹어치웠다.

[콩 송편(일반)를 섭취하였습니다! 4시간 동안 회복력과 마나 회복력이 50포인트 증가합니다!]

아쉬운 대로 일반 버프라도 갱신한다. 자잘한 버프지만 없는 것 보다는 훨씬 낫다.

"하. 거문 정도만 열 수 있어도 어떻게든 비벼서 희귀 송편을 꺼내 볼 텐데."

그렇게 아쉬워하다 불현듯.

목에 난 상처를 매만진다.

"어?"

문득 뭔가 이상하다는 것을 깨닫는다.

"아니 잠깐…… 나 목 잘렸을 때 신체 거문 열지 않았나?"

그땐 워낙 상황이 급박해 인지하지 못했지만 돌아보면 말이 안 되는 이야기다.

고작 1층의 수련자가 어찌 거문을 연단 말인가? 수련이야 가능해도 영능을 발현하는 것은 불가능해야 정상,

"아르데니아. 거문(巨門). 개방(開放)."

나는 즉시 확인했다.

"소환(召喚). 오색 송편."

팟!

송편 한 접시가 나타난다. 나는 잠시 그것을 바라보았다.

"아니…… 왜 갑자기?"

고급 장비조차도 불러낼 수 없던 게 얼마 전인데 갑자

기 희귀급 소환이 가능하다니. 물론 성장은 좋은 일이지만 뭔가 이유가 있어야 할 것 아닌가?

우걱우걱.

의문을 가지면서도 일단 희귀 송편을 씹어 먹는다. 혹 시간이 지나서 사라질까 우려되었기 때문이다.

[오색 송편(희귀)를 섭취하였습니다! 4시간 동안 회복력과 마나 회복력이 200포인트 증가합니다! 특수 자원 회복력이 3배 증가합니다!]

고오오……

몸 안에서 폭발이 일어나는 것만 같다. 하찮은 일반 송편의 버프를 날려 버리고 희귀 송편의 힘이 전신을 휘돌았다.

버프를 받아 300포인트가 넘어 버린 회복력은 이미 재생 능력이라 해도 부족함이 없다. 손가락이 날아가도 20시간 정도면 새로 돋아날 정도의 회복 능력!

피가 모자라 현기증이 돌던 몸이 30분 만에 회복되고 목에서 느껴지던 통증도 감쪽같이 사라졌다.

회복을 방해하는 검기의 힘 때문에 목의 흉터가 완전히 사라지지는 못했지만, 적어도 전처럼 시뻘겋지 않고 오래된 흉터 특유의 살색으로 변했다.

“와…… 장난 아니군.”

50포인트. 100포인트. 200포인트. 등급이 높아질 때마다 송편의 성능은 2배씩 증가하는데 이 2배는 절대 2배가 아니다. 스텟의 효과는 위로 갈수록 격이 달라지기 때문이다.

심지어 희귀 송편부터는 버프가 추가되었다.

“특수 자원 회복력 3배.”

특수 자원은 직업마다 다르게 판정된다.

체력 스텟이 기준으로 나 같은 전사는 스테미너, 마법사는 정신력, 정령사 등은 정령력으로 판정된다.

퍼센트 증가이기에 회복력과 마나회복력처럼 격이 달라지는 수준은 안 되지만 없던 버프가 추가된 것이니 감지덕지다.

이 버프가 있다면 체력이 딸려서 할딱대는 시간도 줄어들게 되리라.

“좋아. 일단 한숨 놨다. 하지만 이유는 알아야겠지…….”

나는 편의점 밖으로 나가 주변을 둘러보았다.

시간은 새벽 4시. 길가에는 사람 하나 없다.

“좋아, 이 정도면…… 잠깐 졸아도 괜찮겠지.”

카운터로 돌아와 호흡을 고른다. 반듯하게 선 채로, 명상에 들어간다.

쿵!

머릿속으로 [층]을 이미지한다. 아르데니아에 들어가는 것과는 다르다.

아르데니아에 접속하는 것은 정말 존재하는 세상에 들어가는 것이고 이것은 내 정신과 영능을 형상화 시키는 과정이니까.

그리고 명상에 깊이 잠겨 드는 데 성공하자.

나는 어느새 1층에 와 있었다.

"일단…… 변한 건 없다."

1층에 존재하는 요소는 신체뿐이다. 소향에게 속성에 대해서도, 병기들에 대해서도 배웠지만 제대로 구체화해 문을 열지는 않았다.

'요소를 너무 많이 열면 역량이 깎이니까. 시간을 두고 신중하게 골라야지.'

나는 정신을 집중해 무량구층을 더욱 명확하게 인식했다.

그러나 거기에도 변화된 건 전혀 없다.

"아니 이게 뭐야. 여전히 1층 초입인데?"

혹시나 성장한 게 아닐까 기대했는데 그건 아니었던 모양이다.

"하지만 그러면 어떻게 거문을 열었지?"

1클래스 마법사가 3클래스 주문을 사용한 셈이다. 물론 차크라는 마법보다 등급 판정에 여유가 있는 편이지만 그것도 1층이 어느 정도 완성된 사람들 이야기지 1층에서도 초입.

입문자에서 멈춰 버린 내가 이렇게 말도 안 되게 등급을 뛰어넘는 것은 이상한 일이다.

"……잠깐."

그리고 그때 즈음.

나는 창밖으로 보이는 거대한 바둑판에 송곳처럼 박혀 있는 한 줄기 빛기둥을 발견했다.

"저건."

우상귀 한 편의 착점 하나가 빛나고 있다.

그 위치가 어딘지는 굳이 설명할 필요도 없으리라.

"붉은 송곳 고블린 요새."

그것은 공성전을 통해 내가 차지한 성이었다.

고오오---

그리고 그것을 보는 순간.

나는 그것과 내가 [연결]되어 있다는 사실을 알 수 있었다.

"맙소사."

현기팔문이 하나의 요소를 선택 해 내계(內界)로 파고드는 과정이라면 무량구층은 스스로를 안테나 삼아 외계(外界)와 소통하는 과정이다.

나는 현기팔문을 수련할 수 있었지만 무량구층은 영원

히 제자리걸음만 할 운명이었다.

악령이 덤벼도 깨닫지 못하고 저주를 맞아도 인지조차 못할 정도로 낮은.

0에 수렴하는 이 미쳐 버린 영감(靈感).

이걸로는 무슨 짓을 해도 채널링이 불가능하다. 노력으로 해결이 될 문제가 아니다. 날개 없는 동물이 하늘을 날려고 하는 것과 마찬가지의 시도인 것이다.

그러나 지금 이 순간…….

나의 성이 나와 연결되어 힘을 보태 주고 있었다.

“어떻게 이런 일이…….”

놀라운 일이었지만 아직은 미약하다. 내가 차지한 성은 고작 1개뿐이고 그 한 개의 착점은 화점도 뭣도 아닌 아주 낮은 수준에 불과하니까.

“어쩌면.”

그러나 내가 계속 성을 먹어 간다면 어떨까?

더 높은 고렙 존의 착점을 먹고, 화점(花點)들을 차례대로 먹어서 마침내 바둑판 중앙의 천원(天元)을 차지한다면?

“어쩌면…….”

명상을 종료한다. 다행히 손님은 오지 않은 상황.

나는 편의점에서 붕대와 연고 등을 내 돈으로 결제한 뒤 유니폼을 벗어 의자에 잠시 걸며 입을 열었다.

"로그인."

주변 풍경과 내 자세가 아르데니아의 것으로 변하는 것을 느끼며 인벤토리에서 단검을 꺼내 전력으로 내던진다.

까앙!

날카로운 단검이 무슨 철판과 충돌한 듯 튕겨 나온다.

'호신기(護身氣)다.'

그러나 아무리 호신기를 둘러도 타격이 없을 수는 없다. 내공이 주입되어 있는 단검을 오우거의 괴력으로 던졌기 때문이다.

휘청거리는 몸.

그러나 칸 슬래셔는 단검을 맞았다는 사실보다 다른 것에 놀란 듯 눈을 크게 뜨고 있다.

"아니, 이게, 무슨? 목을 잘랐는데?"

"반만 잘랐지."

대답하며 단검을 던진다. 칸 슬래셔가 보법을 밟으며 피하려 들었다.

그러나 목표가 늑대왕이다.

"이 새끼가 진짜---!"

쩡!

칸 슬래셔가 이를 갈며 단검을 쳐 낸다. 그러나 둘도 같은 수에 똑같이 당하지는 않았다.

화륵!

늑대왕의 입에서 새빨간 불꽃의 파도가 쏟아졌다. 처음부터 날아드는 단검은 신경도 안 쓰고 쏟아 낸 공격!

칸 슬래셔도 아까와 달리, 단순히 검을 휘둘러 단검을 쳐 내는 것이 아니라 검기를 내뿜어 단검을 튕겨 냈다.

때문에 순간 멈칫했을 뿐, 아까처럼 투척물에 담긴 힘 때문에 뒤로 밀리는 일은 벌어지지 않았다.

"크악! 뜨거워!"

"이, 이런! 저 괴물의 접근을 막…… 크악!"

아차 하는 순간에 검기를 휘감은 칸 슬래셔의 검격이 가로로 휘둘러지고 있다. 자세를 낮춰서도, 점프해서도 피할 수 없고 물러서면 쏘아진 검기에 상, 하체가 분리될 수밖에 없는 공격.

그러나 어차피.

〈검기 발현〉

나도 피할 생각은 없었다.

"……뭐라고?"

칸 슬래셔의 표정이 경악으로 일그러지는 모습을 보며 전력으로 땅을 내딛고.

그대로 검을 올려쳤다.

쾅!

굉음이 터져 나온다.

칸 슬래셔의 양팔이 만세 하듯 위로 치솟는다.

"미친, 무슨 힘이……!"

올려친 힘이 어찌나 강한지 칸 슬래셔의 몸이 지면에서 두 뼘 이상 떠 있다. 자연히 녀석은 제대로 된 자세를 취할 수 없었고, 나는 검로를 강제로 수정해 칸 슬래셔를 후려쳤다.

비이상적인 힘의 위력이었다.

쩌정!

퍽!

녀석의 몸통을 후려치는 순간.

서걱.

마치 커튼처럼 늘어진 녀석의 검기가 내 어깨를 후려친다. 미스릴 갑주가 단박에 쪼개지며 검을 든 팔이 축 늘어지는 것이 느껴진다.

"로그아웃!"

지구로 돌아온다. 어깨를 보니 승모근이 끊어져 있다.

치명적인 상처였지만 1시간 정도 편의점 알바를 하고 있자 회복된다. 차크라를 열 필요도 없다. 그만큼 희귀 송편 버프는 장난이 아니었다.

"로그인."

쩌엉!

보법을 펼쳐 단번에 땅에 내려선 칸 슬래셔를 추적, 검기를 휘감은 검으로 내려찍는다. 칸 슬래셔는 아직 자세를 고치지 못한 상태에서도 그것을 막아 냈다. 기가 막힐 정도로 현묘한 검술이었지만.

빠악!

“큭!?”

이어지는 로우킥까지 막지는 못했다.

‘통한다……!’

검술 역량은 여전히 칸 슬래셔 쪽이 우위다.

당연한 일이다.

소드 마스터는 말하자면 검술 완성자. 자신의 기(技)를 완성하고 그 이상으로 나아가고 있는 존재니까.

그러나…… 그런 존재에게도 내 공격은 무시할 만한 것이 못 된다.

오우거에 맞먹는 괴력.

그 괴력을 온전히 휘두르는 육체 제어 능력.

마나를 다루는 기예가 모자란 것뿐 내 검술 실력도 모자란 수준이 아니다. 나 역시 칼 한 자루로 중세 랜드에서 20년을 버텨 온……!

서걱!

“오메.”

손목이 잘려 나간다.

미리 예지했음에도 피하지 못했다. 칸 슬래셔가 검과 검을 맞댄 상태에서 소드레슬링을 걸어 내 움직임을 제약했기 때문이다.

"로그아웃."

지구로 빠져나왔다.

즉시 육체를 제어한다.

콱! 툭!

왼손이 바닥에 떨어지는 것을 신경조차 쓰지 못하고 왼팔의 근육을 조이는 데 사력을 다한다. 다행히 효과가 있어서 출혈을 막을 수 있었다.

"내 일터에서 피를 쏟으면 큰일이지……."

물론 아무리 근육을 조여도 출혈을 완전히 막아 낼 수는 없지만 적어도 분수처럼 터져 나오는 상황은 막을 수 있었다.

나는 왼손을 들어서 손목에 댄 뒤 미리 준비하고 있던 붕대로 꽁꽁 묶었다.

"아…… 로우킥 한 번에 손모가지가 날아가 버리네. 교환비 너무한 거 아닌가?"

덜덜 떨리는 손으로 수인을 맺는다. 한 손으로 하려니 오래 걸렸지만 손님이 오지 않았다.

너무 다행이다.

“신체(身體). 거문(巨門). 개방(開放).”

치이익!

붕대로 감싸진 손목에서 수증기가 피어오른다. 나는 정신을 집중해 회복의 차크라를 왼 손목으로 한정했다.

컨트롤이 전혀 안 되어 힘을 쓰면 무조건 전신에 퍼트려야 하는 마력과 다르게 차크라는 내 뜻대로 움직인다.

거문까지의 수련은 온전히 나의 깨달음인 덕분이다.

“후우…… 후우…….”

가쁜 호흡을 고르며 바닥에 쏟아진 피를 닦는다.

“아이고. 오늘은 여기까지 하자.”

환기 시스템을 가동해 피 냄새를 뺀다.

“아니, 형? 목에 그거 뭐예요?”

한 손에 마법서를 든 채 출근한 세한이가 내 목의 흉터를 보고 깜짝 놀란다. 나는 대충 대답했다.

“훈련.”

“아니 무슨 훈련을 목을 가를 정도로 해요…… 와, 이 정도 깊이면 뼈도 잘렸겠네. 나도 열심히 하는 편이긴 한데 형도 무시무시하네요.”

황당해하는 세한이와 교대한 뒤 집으로 돌아간다. 자동사냥을 돌리고 송편을 꺼내 먹은 뒤 로그인한다.

퍽! 쩍!

주먹으로 칸 슬래셔의 안면을 때려 주고 옆구리에 칼침

을 맞았다.

"크! 네놈!"

서걱!

검기를 휘감은 칼로 칸 슬래셔의 골반을 한 대 때려 주고 왼다리가 잘렸다.

[알 수 없는 이유로 체력이 1포인트 상승하였습니다!]

[알 수 없는 이유로 생명력이 1포인트 상승하였습니다!]

[알 수 없는 이유로 체력이 1포인트 상승하였습니다!]

송편을 줍는다. 로그인을 한다. 한 대 때려 주고 칼침을 맞는다.

로그아웃 한다. 신체 차크라를 돌려 떨어져 나간 몸뚱이를 붙인다.

출근한다. 자동 사냥을 돌리고 근무를 선다.

로그인 한다. 심장 바로 옆에 칼을 맞는다.

로그아웃한다. 클럽으로 들어가 진상을 피우는 손님을 상대한다.

"이 새끼가! 야, 너 인마! 내가 누군지 알아!? 평화에 찌든 애송이 새끼가 뒤지고 싶어!?"

스릉!

험악한 사내가 칼을 뽑아 들자 주변에 있던 클러버들과 웨이터 모두가 식겁한다.

"꺄악! 카, 칼을 뽑았어!"

"어기충검(御氣充劍)! 내공 전문가야!"

"미친 거 아냐? 클럽에 진검을 왜 들고 와? 이민 온 지 얼마 안 되나?"

"겨, 경찰을 불러야……."

겁에 질린 사람들을 본다.

클럽 안에 있는 전원이 이능력자.

심지어 상당한 경지에 이르러 있는 사람들이 많은데도 그 누구도 앞으로 나서지 못한다.

나는 그 이유를 알고 있다.

'여긴 34지구니까.'

평화로운 세상이다. 전쟁도 투쟁도 없다. 모두가 이능을 익히지만, 다들 취업을, 건강을 위해서지 '싸우기' 위해서 수련하는 이들이 얼마나 되겠는가?

심지어 전투를 업으로 삼는 경찰과 군인들도 그저 적성에 맞아 수련을 할 뿐, 살인 한 번 해 보지 못하는 경우가 99.9%.

하긴 당연한 일이다.

'살인자'를 어떻게 공무원으로 쓰겠는가?

"어! 너, 이 새끼! 눈 안 깔아?"

상황 해결을 위해 들어선 나를 향해 사내가 칼을 들고 휘두른다. 그리 길지 않은 사이즈의 검이 눈앞을 스쳐 지나가며 앞머리를 조금 잘라 냈다.

"꺄악!?"

"위험해!"

여기저기에서 비명이 터져 나왔지만 눈 하나 깜짝하지 않는다.

녀석은 살기(殺氣)를 뿜어 댔지만…… 나를 죽이려 드는 소드 마스터와 마주하며 몇 번이고 죽을 고비를 넘기던 내겐 우습게 느껴질 뿐이다.

정말이지.

장난에 불과하다.

팟!

휘둘러지는 검을 슥 피해 내고 간격 안으로 불쑥 들어간다. 녀석이 깜짝 놀라 재차 검을 휘두르려 했지만 손을 뻗어 어깨를 잡아 누르자 꼼짝도 하지 못한다.

"야."

녀석의 귓가에 대고 속삭인다.

"죽을래?"

"……!"

피 냄새가 물씬 풍긴다. 마수의 피. 몬스터의 피.

그리고 무엇보다 인간의 피.

인간을 인간으로 보지 않는 중세 랜드의 살기는 농담이나 위협 같은 게 아니다.

나는 빵 한 쪼가리에, 길가다 부딪힌 어깨에 살인이 일어나는 동네에서 20년을 살았다.

"흡……! 하…… 흡…… 으…… 끄르륵……."

거칠어진 호흡을 주체하지 못하던 녀석이 눈을 까뒤집고 쓰러진다. 나는 녀석의 손에서 검을 빼앗았다.

그것으로 상황은 종료되었다.

"와…… 형님, 진짜 지리네요. 원래 뭐 하시던 분이에요?"

다른 직원들이 뒤처리를 하는 동안 다가온 창식의 호들갑에 답한다.

"군인이었지, 뭐."

"멋지다! 특수부대죠? 아니면 기가스 파일럿? 아까 진짜 카리스마 쩔었어요!"

'아니. 그냥 일반병이었는데.'

이런저런 소란이 있었지만 별문제 없이 근무를 마쳤다. 클럽 스타게이트의 클럽 오너인 빅 맨이 나타나 내 어깨를 툭툭 친다.

"이야! 오늘 한 건 했다며? 역시 군인 출신이 다르긴 다르구먼!"

빅 맨이 경쾌하게 웃는다.

"하마터면 업장에서 사고 나고 경찰 올 뻔했는데 잘 수습해 줘서 고마워. 이거 내 성의야."

나는 봉투를 받고 퇴근했다. 고유 주문이 박혀 있는 10만 원짜리 지폐가 서른 장이나 들어 있다.

300만 원.

"오우."

기분이 좋아졌다.

"전 가 볼게요! 수고하세요!"

"그래."

알바 교대를 하고 카운터에 선다.

"로그인."

상완근이 잘렸다. 칼질에 당하면서까지 파고들어 주먹을 휘둘렀거늘 아쉽게도 때리지 못했다.

"로그인."

어깨뼈를 잘렸다! 대신 오른팔을 검으로 가격하는 데에 성공했다.

호신기에 막혀 자르진 못했지만 뼈가 부러지는 소리를 들었다.

"로그인."

또 목젖을 베였다. 한순간의 방심 때문에 정말 큰일 날 뻔했다.

"로그인."

검지와 중지가 날아갔다. 파지법에 더 신경 써야 할 듯했다.

"로그인."

"로그인."

"로그인."

……

푹!

검기가 가슴팍을 긋고 지나간다. 하지만 로그아웃 하지 않았다. 그 정도 부상은 아니었다.

"너! 너! 네놈!"

악에 받친 고함 소리가 들린다. 태도를 든 피투성이 오크가 검을 휘둘러 날아든 화살들을 쳐 낸다.

수백의 병사들이 포위진을 짜 도주를 막고 있다.

"대체 그 재생력은 뭐냐!? 아니, 이게 재생 능력이긴 한가?"

처음 만났을 때의 여유는 온데간데없는, 마치 불가해(不可解)의 무언가를 보는 표정으로 날 노려본다.

물론.

내 알 바는 아니었다.

쩡! 퍽! 콰득! 쩡! 콰직!

검과 검이 충돌한다.

박치기를 하고 어깨로 그것을 막아 낸다.

로우킥을 차고 발등을 짓밟는다. 그러다 검기에 꿰뚫리기도 한다.

좌악!

살점이 썰려 나가고 피가 쏟아진다. 고통스러웠지만 이미 몇십 번이나 경험한 일이다.

"로그아웃."

지구로 돌아온다.

나는 원룸에 있는 욕조에 누워 덜덜 떨리는 손으로 수인을 맺었다.

"신체(身體). 거문(巨門). 개방(開放)."

이미 욕조는 피투성이다. 침대와 옷가지가 자꾸 피에 절어서 집에서는 항상 옷을 벗고 욕조에서 로그인 하고 있다.

[알 수 없는 이유로 생명력이 1포인트 상승하였습니다!]

"송편 버프는…… 아직 2시간 남았네."

나는 욕조에서 잠시 쉬다가 가볍게 몸을 씻고 나왔다.

욕실에 있는 전신 거울에 마치 프랑켄슈타인처럼 흉터 가득한 나신이 비친다.

“흉터들 때문에라도 한동안 송편 계속 먹어야겠네.”

투덜거리며 PC 앞에 앉았다.

추석의 마지막 날.

오늘이 지나면 더 이상 송편이 드랍되지 않으니 최대한.

주워.

놔야……

쿵!

책상에 머리를 박아 정신을 차리고 보니 6시다.

“악! 잤어!?”

깜짝 놀라 자리에서 일어난다. 모니터 안의 캐릭터가 멍 하니 서 있는 모습이 보인다.

“차라리 자동 사냥을 돌릴걸!”

억울해 하며 송편을 소환해 먹는다.

그리고 로그인한다.

그리고.

그리고.

푸욱!

“끄…… 륵. 네…… 놈…… 내가, 다시…….”

발할라(영웅)+6이 심장을 꿰뚫고 지나간다. 나는 비슷한 부상을 여러 번 입었지만, 녀석에게는 그 의미가 달랐던 듯 초록색 피부의 몸통이 활어처럼 펄떡인다.

“어?”

나는 잠시 멍하니 그 모습을 보았다. 나를 충혈된 눈으로 노려보던 칸 슬래셔의 심장 박동이 멈추고 호흡이 사라지는 것이 느껴진다.

"어어?"

잠에 취해 있던 머릿속이 맑아진다.

"쓰러졌다!"

"이겼다! 이겼다고! 저 괴물 놈을 이겼어!"

"으아아아! 살았어! 살았다고!"

여기저기에서 터져 나오는 환호성이 들린다.

"정신 차리세요! 이, 이런 출혈이 너무 많아!"

"힐!"

"여기! 여기 수술이 필요해요! 어서 준비를……!"

정신없이 뛰어다니는 병사와 힐러들이 보인다.

"아!"

나는 황급히 인벤토리에서 송편들을 마구 꺼냈다.

"플라워!"

"거기 건물 안에서…… 네! 네 영주님!"

"이 송편들을 부상자들한테 먹여! 재생력이 늘어난다! 여기 순서대로 일반, 고급, 희귀다."

"네!"

송편의 효과는 이미 널리 알려져 있었기에 반문 없이 실행한다. 나는 본캐와 부캐들에 잔뜩 쌓여 있던 송편들을 마구 꺼내 준 뒤 주변을 둘러보았다.

파스스스……

그때쯤 소드 마스터. 칸 슬래셔의 몸이 먼지로 변해 흩어진다.

녀석의 시체가 사라진 자리에 상당량의 골드와.

그것이 있었다.

[축복받은 방어구 강화 주문서(일반).]

"……어?"

멍하니 그 모습을 바라보았다.

다른 아이템은 없다.

"아니, 아니 잠깐만. 지금 몇 명이 죽었는데."

물론 드랍을 기대한 전투는 아니었지만! 아무리 그래도 그렇지 이런, 이런……

일반 템 하나라고?

"아, 똥겜 진짜……."

신음하며.

정신을 잃었다.

3일을 내리 잤다.

겉으로 보이는 부상이야 송편의 힘으로 회복되었지만 그럼에도 육신과 정신에 부담이 쌓여 왔던 모양이다.

"보고해."

"피해 상황부터 시작하겠습니다."

천인장 소드맨, 시녀장 플라워, 그리고 두 기사와 마법사까지.

내 '가신'이라고 할 만한 이들이 모여 3일간 정리한 내용을 보고한다.

최종적으로 칸 슬래셔와의 전투에서 죽은 병사의 수는 150명이었다.

"구십 명은 클래스를 가진 정예병이었고 육십 명은 일반 병사들입니다."

부상자의 수도 상당했지만 힐링 포션과 힐 스킬 그리고 무엇보다 송편의 효과가 더해지자 대부분 완치가 가능했다고 한다.

현재 영지민 모두가 토성 안에 들어와 물자를 정리하고 성벽 위에 올라 경계를 하는 중이었다.

토성 안에는 고블린들이 사용하던 온갖 장비와 가재도구들이 있어 모두 회수한 후 상황에 맞게 활용하고 있다고 한다.

"몬스터는?"

"이젠 주변 어디에서도 찾아볼 수 없습니다. 대신…… 중앙 광장 한편에 푸른색 구체가 나타났습니다."

"다행이군."

"네?"

소드맨의 의문에 대답하는 대신 생각한다.

'이건 게임 시스템 그대로 가는 모양이네.'

길드 마스터가 중립 던전을 헬 난이도까지 클리어하고 공성전에서 승리하여 성주가 되면 해당 던전은 성의 한 편에 자리하게 된다.

던전의 내용은 전과 다를 게 없다. 이지, 노말, 하드, 헬 난이도의 던전을 클리어하고 클리어 경험치와 보상을 받는 것.

다만 다른 것이 있다면.

'클리어 보상이 소폭 증가하고 성주에게 세금을 내야 한다.'

던전의 기본 입장료는 100골드이다. 성주는 그 입장료에 최소 1%에서 최대 10%의 세금을 물릴 수 있다.

"특이 사항은?"

"다섯 명씩 총 네 파티의 지원자를 받아 던전에 도전했습니다. 각각 이지, 노말, 하드, 헬 난이도를 클리어 했고 각각 보상을 받아 정리했습니다."

"뭐? 헬 난이도?"

깜짝 놀라 되묻는다. 하드까지는 백 번 양보해서 어떻게 가능할지 몰라도 헬 난이도는 병사들 수준으로는 불가능한 난이도였기 때문이다. 무엇보다 희귀급 몬스터인

홉고블린이 자리한 던전이 아닌가?

소드맨이 차분하게 답한다.

"저희들입니다."

소드맨, 플라워, 스틸스톤과 헌드레드, 그리고 스마일이 고개를 끄덕인다.

그러고 보니 딱 다섯 명이다.

"아이고, 간부란 것들이……."

한숨이 나왔지만 필요한 일이었다는 걸 인정할 수밖에 없었다. 어차피 얻어야 할 던전 정보였고 이들이 아니라면 헬 난이도에 도전할 수 있는 건 나 정도이기 때문이다.

"좋아. 도전에는 보상이 있어야겠지. 지원자들에게 장비와 스킬북을 내린다고 전해. 그리고 공략 정보는 계속 모아 둬. 앞으로도 던전을 계속 클리어 해서 레벨 업과 파밍을 해야 하니까."

"파밍…… 이라니요?"

"떨어지는 장비와 골드를 얻어야 한다고."

"네. 알겠습니다."

"그리고 3시간 내로 모든 영지민을 중앙 광장으로 모이게 해. 성의 형태를 바꾸고 나서 거주 구역을 결정하겠다."

"성의…… 형태를 바꾸다니요?"

"기다려 보면 알거야."

나는 소드맨을 먼저 보내고 두 기사에게 말했다.

"그래. 몸들은 좀 괜찮아?"

"부끄러울 따름입니다. 얼마 버티지도 못했으니……."

"영주님 혼자서 싸우신 것이나 다름없지요."

스틸 스톤과 헌드레드도 전투에 참여했지만 크게 활약하지는 못했다. 각각 한 칼씩 맞고 리타이어 되었으니 칸 슬래셔의 동작을 1초씩 막아 낸 정도인 것.

그마저도 보통 일이 아니어서 불구에 가까운 부상을 입었다. 희귀 송편의 힘이 아니었다면 회복할 수 없었을 것이다.

'죽거나 불구가 되지 않은 것만 해도 천만다행이다.'

처절할 정도로 인재가 부족한 것이 현 상황이다. 레드 엑스 남작가의 기사나 행정 인력을 좀 흡수하고 싶었는데 다 뒤진 건지, 아니면 어디로 달아난 건지 없고 병사와 장정들을 좀 받아들였을 뿐.

그런데 그런 상황에서 둘밖에 없는 오러 능력자가 죽어 버렸다면 크게 난감했을 것이다.

"이번 전투에서 다들 느꼈겠지만…… 몬스터를 상대하기에 우리 영지의 힘이 크게 모자라. 비슷한 전투가 앞으로 계속 벌어질 텐데…… 이대로는 내게 짐덩이가 될 뿐이다."

"……."

"……."

내 말을 부정하지 못한 두 기사의 침묵에 더 다그치지 않고 말을 이었다.

"그러니 더 많은 오러 능력자가 필요하다."

"네? 물론 맞는 말이긴 합니다만…… 오러를 깨우칠 수 있는 인간은 만 명 중 하나에 불과합니다."

"그랬지. 하지만 지금도 그럴까? 스텟으로 마나를 찍을 수 있는데?"

내 말 두 기사가 고개를 번쩍 들었다.

"정예병들이…… 마나를 각성할 수 있다는 말씀이시군요."

"그래. 지금부터 너희는 싹수가 보이는 병사들을 골라 훈련시켜. 여러 가지 방법을 써 봐. 스킬을 계속 발동시키면서 마나에 익숙해지는 것도 방법이겠지. 마나를 각성하면 내가 익히기 쉬운 심법을 전수해 주지."

"하지만…… 오러 수련법은 비전(秘傳)입니다. 괜찮으시겠습니까? 반드시 흘러나가게 될 겁니다."

"그렇더라도 지금은 그런 걸 두려워할 상황이 아니다. 명심해. 모습을 드러낸 몬스터 중 오크는 약한 편에 속하니까."

둘과의 이야기를 마무리하고 이번에는 스마일을 본다.

“들었지? 너도 똘똘한 놈들을 뽑아서 수학과 서클링의 개념에 대해 가르쳐. 시간을 내서 가장 빠르고 쉽게. 익힐 만한 서클링을 적어 줄 테니까.”

“세상에…… 영주님께서는 무슨 심연의 도서관 같은 곳이라도 들어갈 수 있으신 겁니까? 평범한 가문이라면 하나 가지기도 어려운 비전들을 어떻게…….”

“아직도 한참 있으니까 제대로 키워 봐. 결과에 따라 주문들을 가르쳐 주지.”

그 말을 마지막으로 두 기사와 마법사에게 축객령을 내렸다.

‘이능력자를 많이 확보해야 한다.’

칸 슬래셔는 이곳에 또 쳐들어올 것이다. 왜 굳이 100km나 올라와서 난리 치는지는 알 수 없다. 녀석과 제대로 된 대화를 나눌 상황이 아니었기 때문이다.

“짐작이지만…… 성을 노리는 것 같았어.”

공성전이 끝난 직후 쳐들어왔다는 사실이 너무 공교롭다.

마치 플레이어가 공성에 성공해 생겨난 [성]을 원하는 것 같은 행보.

‘전력을 키워야 해. 심지어…… 내가 없어도 소드 마스터를 상대할 정도의 전력이 있어야 한다.’

내가 그러하듯 병사들에게 스킬북을 사용할 수도 있을

것이다. [내공 주입]을 익히게 한다면 병사들의 공격조차 도 소드 마스터에게 어느 정도의 소모를 강요할 것이며, [검기 발현]을 익히게 한다면 일반 병사가 소드 마스터의 목숨을 위협할 수도 있겠지.

'그러나 그런 식으로는 지출이 감당이 안 된다.'

스킬북이 천 원, 만 원선이라면 몰라도 도저히 고를 수 있는 선택지가 아니다. 일반 병사가 검기 발현을 할 수 있어 봐야 소드 마스터를 마주한다면 한 칼도 먹히지 못하고 살해당할 게 뻔한 상황이니까.

'결국 클래스의 보정을 받으며 역량을 키우는 방식이 최선이겠지.

그렇게 생각을 정리한 후 마지막으로 남은 플라워를 바라본다. 그녀는 잠시 생각을 정리하는가 싶더니 말했다.

"성 안에서 납치되었던 여성들이 발견되었습니다."

"역시 그랬군."

내가 혼자 정찰을 나왔을 때 보았던 이들이다. 용맥을 점령했을 때 온데간데없이 사라져 의문이었는데 던전 안으로 끌려 들어갔던 모양이다.

"특이 사항이 있겠지?"

내 말에 플라워가 잠시 머뭇거렸다.

그러나 짐작되는 상황이 있었기에 재촉하지 않는다.

'남자는 다 죽여 버렸으면서 여자는 굳이 살려 갔다. 목

적이 너무나 뻔하다.'

과연 플라워는 예상하던 말을 꺼냈다.

"납치되었던 여성 중 절반 이상이…… 그 녹색 괴물들에게 몹쓸 짓을 당했다고 합니다."

"역시 그런가."

하긴 그런 이유가 아니면 굳이 납치하지 않았겠지.

"몇 명이지?"

"총 714명입니다."

"일단은…… 다른 영지민들과 분리해서 한 달간 상태를 지켜보고 특이 사항이 생기면 바로 보고하도록."

"네, 영주님."

플라워까지 밖으로 나간 뒤에야 앞으로 할 일을 정리하기 시작했다.

'어떻게 생각하면 좋은 일이다.'

우리 영지는 기본적으로 성비가 기울어 있는 곳이었고 현재에 이르러서는 그 문제가 더욱 심각해진 상황이었다.

요번에 확보한 714명이 영지에 편입된다면, 그 문제는 어느 정도 해결되겠지. 아니 그 정도가 아니라 여성이 더 많은 상황이 될 것이다.

'문제는 그들이 임신을 했을 경우다.'

만약 그런 일이 가능하다면 상황이 복잡해진다.

그건 굳이 내 영지에 한정한 문제도 아니다. 아마도 대룩 전체에 혼란이 찾아오겠지.

'그러나 반대로 여인들 중 누구도 임신하지 않는다면?'

그건 그것대로 의미하는 바가 클 것이다.

"뭐, 당장 해결할 수 있는 문제는 아닌가."

나는 옥좌에 앉아 길드창을 열었다.

"역시."

길드창에는 새로운 슬롯이 추가되어 있다.

[성 관리]

슬롯을 누르니 바둑판이 나타난다. 당연한 말이지만 단 하나의 성이 활성화되어 있다.

"고민할 필요도 없지."

나는 5,000다이아, 그러니까 50만 원을 부었다.

[초라한 토성(일반)을 멀끔한 벽돌성(고급)으로 업그레이드 합니다!]

쿠구구궁!

지축이 뒤흔들리는 소리가 들린다. 나는 멈추지 않고 15,000다이아를 추가로 사용했다.

[멀끔한 벽돌성(고급)을 훌륭한 요새(희귀)로 업그레이드 합니다!]

쿠구궁!

다시 땅이 흔들린다. 그뿐이 아니라 좀 초라해 보이던 영주성의 바닥이 대리석으로 변하고 나무 창문이 커다란 유리 창문으로 변해 밖을 볼 수 있는 상황!

나는 신나서 다음 업그레이드를 누르려고 했지만 그럴 수 없었다.

“아니 상승폭 너무하잖아…….”

이번 업그레이드에 필요한 다이아는 50,000다이아였다.

500만 원.

다음 달 월급을 받아야 진행할 수 있는 금액이다.

“에휴. 옵션들이나 챙겨야지.”

나는 영주성을 확장하고 고급 등급의 상점을 추가했다. 희귀 등급의 여신상을 추가해 성 버프를 받을 수 있게 만들고 성문과 성벽을 강화했다.

깊은 해자와 첨탑은 덤이다.

“아…… 그리고 이건 효과가 있을지 모르겠지만.”

나는 공용 건축물 중 [특대형 분수대]를 설치했다.

당연한 말이지만.

그 대부분의 과정이 다이아로 이루어진다.

"아, 에바. 진짜 에바 참치다."

나는 거지가 되었다.

상여금과 클럽의 문제를 해결하고 받은 돈은 이미 흔적도 없다.

"아니 세상에…… 이게 무슨 일이야?"

"맙소사, 성이."

밖이 소란스럽다. 나는 비어 버린 잔고에 쓰린 가슴을 추스르며 집무실을 나섰다. 집무실을 지키고 있던 병사들이 경외심이 가득한 표정으로 내게 예를 표한다.

그리고 집무실을 나선 후 영주성을 벗어나자.

"와아아아!"

"영주님!"

"오오……! 신이시여!"

"이 세상의 구원자!"

도시의 가장 높은 곳에 위치해 있던 영주성이었기에 거기서 나오는 내 모습을 모여 있던 모든 영지민들이 확인하고 환호성을 지른다.

사실 중세 시대의 성채는 이런 형태로 만들어지지 않겠지만 이곳은 진짜 중세의 성채가 아니다. 가장 화려하고, 아름답고, 축성의 편의성 따위는 신경조차 쓰지 않은.

게임 속의 성채.

"……오."

그리고 그 성의 모습에…… 한순간 할 말을 잊는다.

하얀색의 도시.

성벽 아래 도시가 들어 있는. 말하자면 성새 도시나 요새 도시 등으로 표현할 만한 형태를 가지고 있는 이곳에는 이미 수십 채의 건물들이 자리하고 있다. 바닥에는 하얀색의 타일이 빈틈없이 깔려 있었고 사이사이 상당한 크기의 나무들이 심어 있다.

촤아아악!

특대형 분수대에서 물이 뿜어진다. 그 가운데 설치되어 있는 여신상이 은은한 빛을 뿌리고 있다.

"와아아아!"

"영주님! 영주님!"

"오오…… 어떻게 이런 일이……!"

그리고 중앙 광장에 모여 나를 경외의 눈으로 올려다보는 이천 명이 넘는 사람들.

"아."

빈털터리가 되었다는 사실에 쓰리던 속이 가라앉다 못해 뻥 뚫리는 거 같다.

가슴이 간질간질하고, 뭐라 표현하기 어려운 감정이 휘몰아친다.

"아 이거……."

내 성. 내 영지. 내 사람.

"일하고 싶어지잖아……."

정확히는 돈을 벌고 싶었다.

더 빨리.

더 많이.

내가 헤어 나올 수 없는 과금의 길을 달리기 시작한.

어느 날의 일이었다.

chapter3.

두 세계를 오가며

chapter3.
두 세계를 오가며

스타 게이트에 출근한다.

충분한 수면을 취한 만큼 몸 상태는 그야말로 최상이었다. 그 사이 꾸준히 먹은 송편 덕분에, 몸에 있던 흉터들도 많이 희미해졌다.

"어! 형님 오셨어요?"

반갑다는 듯 손을 흔드는 창식의 모습에 어이가 없어 묻는다.

"아니, 오늘은 출근일도 아닌데 왜 왔어?"

스타 게이트의 직원들은 대체로 주 3일이나 4일 정도 일한다. 나처럼 일주일 내내 출근하는 쪽이 비정상이겠지.

"놀러 왔어요. 할 것도 없고 심심하니 여자 구경이나

하려고요."

"쉬는 날에 직장으로 놀러 오다니……."

아니, 아무리 그래도 그렇지 그렇게 할 일이 없단 말인가?

물론, 나에게는 잘된 일이다.

"할 거 없으면 나나 좀 도와줘."

"에이, 형님. 심심해 뒤질 것 같아도 노동은 안 하죠."

"진짜 별거 아냐. 아이템만 주워 주면 돼. 체다."

"야옹!"

체다가 휴게실의 테이블 위로 올라서길 기다렸다가 캐릭터들 중 킬리언스식스로 로그인했다.

레벨 1. 캐릭터를 생성하자마자 초고렙 존으로 달려왔기에 기본 무기는 물론이고 물약 병 하나 없이 텅텅 빈 인벤토리.

인벤토리가 기본 100칸이니 송편을 9,900개나 담을 수 있다.

"저기 저 송편들 보이지? 아무것도 하지 말고 그것들만 계속 주우면 돼. 혹 인벤토리가 다 차면 킬리언스세븐, 킬리언스에잇으로 넘어가고."

내 말에 창식이 체다의 배, 아니, 이제는 옆구리로 옮겨진 화면을 보며 어이없다는 표정을 지었다.

"리벤지? 아니, 형님. 이런 게임 해요? 우리 존경하는 형님이 립저씨였다니……."

"12시까지만 부탁해. 시급 15,000원이야."

평소였으면 이렇게까지 하지 않았겠지만 이제 4시간이면 추석이 끝나니 어쩔 수 없다.

요 며칠 송편 버프를 겪어 보니 너무 좋아서 없어지면 미칠 듯 아쉬울 것 같았으니까.

언제나처럼 근무를 선다.

손님을 받고 손놈을 을러 쫓아낸다.

만취한 이들을 돌려보내고 소란이 일어나면 진정시킨다.

'사실 내 벌이 자체는 꽤 괜찮은 편이다.'

월 천만 원에 플러스알파까지.

흔히 말하는 억대 연봉이다. 몇 년 독하게 모으면 원룸이 아니라 적당한 집을 마련할 수 있는, 괜찮은 기업의 직원들만큼이나 풍족한 수입.

'그러나 부족하다.'

그렇다.

그저 풍족한 삶을 살기에 충분한 수입으로는 너무나도 모자라다.

리벤지를 하기에는!

'게다가 나는 보통의 플레이어보다 총알이 훨씬 많이

필요해.'

나는 그저 내 한 몸 장비를 맞추고 컬렉션을 모으는 정도로 끝나는 상황이 아니다.

'세력을 키워야 하니까.'

병사들에게 장비를 맞춰 주어야 한다. 가능하면 스킬도 익히게 해야 한다. 성을 업그레이드하는 것은 물론이고, 그 안에 온갖 내용물을 채워 넣어야 했다.

그러기에 지금 버는 정도로는 한계가 있다.

'하지만 어떻게? 무슨 수로 돈을 벌지?'

물론 지금의 난 예전과 비교조차 할 수 없을 정도로 강하지만, 이 강함은 지구에서 하등 쓸모없는 종류의 것이다.

군인? 경찰?

어쩌면 될 수 있을지도 모르지만 두 직업 모두 돈을 많이 벌 수 있는 직업이 아니다.

영관이나 장성급이 된다면 또 이야기는 달라지겠지만 지금부터 군생활을 해서 그 위치까지 올라간다는 건 너무 비현실적인 이야기다.

'더 고민해 봐야겠군.'

자정이 되자 창식이 체다를 안고 나타난다. 때마침 손님이 뜸한 순간이었기에 미리 말했던 시급을 녀석에게 건네준다.

"일단 받긴 하는데…… 허 참. 게임을 돌리고 돈을 받네요."

너털웃음을 짓는 창식에게 손을 흔든다.

"오늘 고마워. 얼른 집에 가라."

그러나 그런 내 말에도 불구하고 녀석은 내가 퇴근할 때까지 2시간을 기다렸다.

어느새 퇴근 시간.

옷을 갈아입고 나온 나에게 녀석이 말했다.

"형님."

"왜?"

"형님 같은 사람이 왜 이런 곳에서 일해요?"

아무래도 이 녀석은 내가 취객 녀석을 제압하는 모습을 보고 뭔가 크게 오해한 모양이다.

"이런 곳은 또 뭐야? 여기가 어때서."

"어떻긴요, 클럽이죠. 사실 물도 별로 안 좋아요. 회사로 치면 중소기업 정도? 장점이 있다면 연령층이 좀 낮다는 점이죠."

그렇게 말한 창식이 가볍게 휘파람을 불자 클럽 앞을 지나가던 여성이 별꼴이라는 듯 눈을 흘긴다. 그리고 옆에 있던 친구와 소곤거리더니 꺄르르 웃음을 터트리며 멀어진다.

'그야말로 한량(閑良)이구만.'

창식은 180이 넘는 키에 하얀 피부, 반듯반듯한 이목구비를 가진 훈남이다.

다만 그것들은 타고난 것이 아니다.

'생체력으로 만들어진 몸이다.'

마나를 직접적으로 사용하지 않고도 초월적인 힘을 사용할 수 있는 몬스터들의 힘을 본 따 만들어진 이능.

생체력(生體力).

생체력은 마나를 자신의 세포 전체에 받아들여 진화(進化)시키는 것을 기본 골자로 한다.

그것은 인간이 탱크를 집어던지고 총알을 피하고 폭격 속에서 살아남는 방향으로 진행될 수도 있지만.

키가 커지거나 피부가 깨끗해지는 등의 방향으로도 진행될 수 있다.

'정말 살짝 발만 담근 수준이네. 생체력 특유의 강체화가 전혀 안 느껴져.'

말하자면 오직 미용을 위해 영능을 수련한 것으로 여러모로 미래가 암담해지는 선택이다.

생체력은 다른 영능과 호환이 잘 안 되는 영능이니, 사실상 녀석은 좀 반반한 비능력자나 다름없다.

'이래서는 무슨 일을 해도 어려워.'

대부분의 인류가 능력자인 34지구에서 아무 영능을 가지지 못한다면 무슨 일을 해도 한계가 있다.

폐급 마나 적성을 가지고 있던 난 누구보다 그 사실을 잘 알고 있다.

'심지어 외모가 절반인 연예계에서조차 그렇지.'

연예계에서 생체력 수련이란 전신 성형과 동급으로 취급된다. 못생긴 것보다야 당연히 낫겠지만 꼬리표가 남는 건 어쩔 수 없다는 말이다.

'그러고 보니 아르데니아에는 생체력 진화가 가능하려나?'

그러나 가만히 생각해 보니 힘들 것 같았다.

이능이 전혀 없는 사회에서도 자연히 탄생하는 무공이나 마법과 다르게 생체력은 기존 생체력 수련자가 만들어 낸 생체인자(生體因子)가 있어야 입문이 가능하기 때문이다.

"형님! 제 말 듣고 있어요?"

"나 다음 일 가야 해. 빨리 말해."

"아, 이 형님, 제가 도와드렸는데 냉담한 거 봐."

"대신 시급 줬잖아."

"나 참! 저도 돈은 꽤 있거든요? 뭐, 하여튼 일하는 목적이 돈이란 말이죠?"

"다른 이유가 있을 수 없지."

"그러면 말이에요, 형님."

나직한 목소리로 창식이 말한다.

"고액 알바 한번 해 볼래요?"

* * *

클럽에서 퇴근해 편의점으로 간다. 편의점에서 퇴근해 공장으로 간다.

수면 시간 없는 24시간 노동을 반복하며 아르데니아에서도 시간을 보낸다.

당연한 말이지만.

아르데니아에서 나는 대부분 수면으로 시간을 보낸다.

뛰어난 육체 능력을 가진 나는 보통 사람의 절반만 자도 충분할 정도의 체력을 가지고 있지만 지구에서 수면 시간이 전혀 없으니 별수 없다.

"빅 핸드."

"충!"

"핸섬맨."

"충성을! 다하겠습니다!"

나는 칸 슬래셔와 싸울 때 목숨을 걸고 참전한 병사들을 포상했다. 일반 병사는 정예병으로 만들어 주었고 정예병들에게는 고급 등급의 장비와 스킬북을 주었다.

'기대 이상의 충성심이야. 보상해야 하는 게 당연하다.'

일검에 기사가 쓰러지고 수십 명의 병사가 조각나 쓰러

지는 싸움에서 오러조차 제대로 다루지 못하는 병사들은 도망치지 않은 것만 해도 대단한 일이다.

심지어 상대는 무지막지한 투기를 뿜어 대던 소드 마스터가 아니었던가?

'내가 변방의 남작 치고 강력한 장악력을 가지고 있던 것은 사실이지만 그것이 죽음마저 불사할 정도는 절대 아니었는데 말이야.'

아무래도 내가 그들을 데리고 이동하면서, 먹이고, 입히고, 이끌며 보인 모습이 그들에게 깊은 인상을 남겼던 모양이다.

시간이 지난다.

하루, 이틀이 지난다. 영지민들이 각자의 집을 정하고 가져온 짐들을 풀었다.

일주일, 이주일이 지난다. 정예병들은 여유가 되는 대로 던전에 들어가 레벨을 올렸다.

영지민들이 점점 성 안의 생활에 익숙해져 간다.

어느새 11월이 되었다.

월급이 들어왔다.

'좋아!'

제일 먼저 할 일은 너무도 뻔하다.

[훌륭한 요새(희귀)를 완벽한 요새 도시(영웅)로 업그

레이드 합니다!]

쿠구구구궁!

성벽이 40미터까지 높아진다.

어지간한 아파트 13층에 맞먹는 높이.

두께도 어마어마해서 성벽 위가 거의 2차선 도로에 맞먹는 넓이를 가지고 있다. 도로와 계단이 어찌나 잘 정비되어 있는지 마차를 타고 성벽 위로 올라올 수 있을 지경!

'게다가 단지 커진 것뿐이 아니다.'

희귀급 성은 훌륭했지만 어디까지나 물리적인 건축물에 지나지 않았다.

그러나 영웅급 성은 달랐다.

성벽에 새겨진 방어 마법. 중간 중간 세워져 있는 감시탑과 마나 포탑. 거기에 비축된 자원을 소모해 작동하는 자동 수복 기능까지!

"와. 영웅이 이 정도면 전설은 대체."

그러나 전설 업그레이드를 하는 것은 당연히 불가능했다.

[해당 성을 업그레이드 하시겠습니까?]

[예(300,000다이아). 아니오.]

"아니 이런 미친……."

3,000만 원.

이해가 안 간다. 아 물론 나는 결국 업그레이드를 할 것이다. 3,000만 원이 큰돈이긴 해도 그 대가가 엄청난 규모의 요새 도시. 그것도 전설적인 기능을 가진 성채라는 것을 생각하면 오히려 저렴한 수준이니까.

하지만 다른 사람들은?

그냥 게임 속 성 하나 업글 하는 데 이 정도의 돈을 붓는단 말인가?

"핵과금러 무섭다…… 심지어 게임 속에서 봤던 성들은 죄다 이것보다 크던데. 와……."

기막혀 하며 감시탑과 마나 포탑을 강화했다. 대형 분수대를 추가로 6개 설치하고 일일 퀘스트 게시판을 설치했다.

그리고 그 결과…….

나는 거지가 되었다.

"버는 건 한 달인데 쓰는 건 한순간이야……."

허탈해하며 영주성을 나서자 저 멀리 영지민들의 모습이 보인다.

"세상에 성벽 좀 봐! 이렇게 웅장하다니!"

"성도 페스탈의 성벽도 이 정도는 아닐 텐데."

"자자! 힘내서 농지를 만들어 봅시다! 바닥의 타일을

떼어서 한쪽에 쌓아 두세요!"

"분수대가 그냥 뽕! 하고 나오는 건 다시 봐도 너무 신기하다……."

"이제 물 걱정은 없겠어!"

감탄 하면서도 영지민들은 미리 일러 둔 대로 움직였다. 도시에 빈틈없이 깔려 있는 석제 타일들을 떼어 내고 그 아래 있는 토지를 농지로 활용하는 것이다.

'농사도 짓긴 해야 하니까.'

이상적으로 보이는 요새 도시에는 사실 중대한 결함이 존재한다.

상하수도의 부재.

리벤지는 전투와 전쟁의 로망을 추구하는 게임이기에 리얼리티에 그리 큰 신경을 쓰지 않았다. 통짜로 만들어져 정상적인 방법으로는 입을 수도 없는 전신 갑주가 바로 그 예라 할 수 있겠지.

플레이어들은 물과 음식을 필요로 하는 존재가 아니며 소변과 대변 등의 생리 현상도 하지 않는다.

성채의 건물들에는 화장실이 없고 논밭이 없는 게 바로 그런 이유이다. 먹지도 싸지도 않는데 그런 시설들이 왜 필요하겠는가?

그러나 여기는 이미 현실이며 우리는 먹고 싸는 인간들.

없으면 만들어야 한다.

"넘어간다!"

도시 이곳저곳에 서 있던 나무들을 잘라 자재로 만들고 모습을 드러낸 토양을 뒤엎었다. 도시의 상당 부분을 차지하던 공원을 갈아엎고 특대형 분수대 아래에 구멍을 뚫어 물길을 만들었다.

영지민이 움직일 때마다 빈틈없이 아름답던 도시가 점점 흉해지고 있는 상황.

그러나 흉해진 결과, 도시는 사람들이 살아갈 터전이 되어 가고 있었다.

"멋지군."

영지성의 가장 높은 곳에서 도시를 내려다본다. 바쁘게 일하고 격하게 훈련하고 비장한 모습으로 던전에 들어가는 사람들의 모습이 보인다.

그 모습을 가만히 내려다보는 것만으로 가슴이 충만하게 차오르는 것 같다.

나는 그렇게 몇 시간이나 그 모습을 내려다보다 조용히 읊조렸다.

"로그아웃."

어느새 성과 도시의 모습이 사라지고 나는 수십 층짜리 빌딩 앞에 서 있었다.

"어! 형님! 이쪽이에요 이쪽!"

빌딩 입구에서 기다리고 있던 창식이 손을 흔든다. 나는 잠시 녀석을 보다 고개를 들었다.

빌딩에는 이런 글자가 쓰여 있다.

앞서 가는 채널. 채널 원(One)이라고.

'이걸 나름 큰물이라고 해야 하나?'

'채널 원(One)'은 세계 최대 기업 일성의 계열사로, 온갖 매체가 난립하는 34지구에서도 가장 큰 전파력을 가진 방송국이다.

이곳의 일을 따내기 위해 알바 스케줄을 다시 조정했다. 수요일에 만들었던 쉬는 날을 주말로 옮겨 놓은 것이다.

결과적으로 내 업무는 주 5일로 변경!

뭔가 자꾸 시간을 조절하는 느낌이었지만 웅녀철강의 경우 원래 주 5일이 정상 스케줄이었기에 문제없고 나머지 것들도 별다른 잡음이 없었다. 시간제 알바의 유일한 장점이라 할 만하다.

"아니, 형님. 오늘 촬영할 제품이 3개나 잡혀 있던데 괜찮은 거예요?"

"걱정 마. 몸 하나는 튼튼하니까."

우리는 빌딩 뒤편에 있는 출입구를 통해 직원 전용 엘리베이터에 탔다.

엘리베이터에서 내리니 대본을 뒤적이고 있던 여성 작가가 걱정스런 표정으로 묻는다.

“창식이 또 왔어? 엑스트라에 스태프까지는 이해해도 스턴트는 좀 위험하지 않겠니?”

“어허! 저 이래 봬도 생체력 수련자거든요?”

“에휴. 생체력이면 뭐 하냐. 미용이나 하고 있으면서…… 아! 그리고 한재연 씨죠? 이야기를 들으니 지난 주에도 잘해 주셨다고 하더라고요. 오늘은…… 어? 3제품이나? 괜찮으시겠어요?”

우리가 찾아온 곳은 채널 원이 운영하는 수많은 서브 채널 중 하나인 [수호천사]였다.

그럴싸한 이름이지만.

‘홈쇼핑이지 뭐.’

물론 평범한 물품은 아니고 아티팩트나 호신용 장비를 파는 곳이다.

[요새 강력 사건이 너무 많죠? 어우~ 정말 너무 무서워요.

정의신의 신관들이 제대로 대처하지 못하는 스토킹 사례도 빈번하고 잊을 만하면 묻지 마 테러가 발생하는데요. 물론 사건이 터지면 경찰이 잘 수습해 주지만 이미 상해를 입어 버린 다음이에요!

정말 무서워서 밤거리를 다닐 수가 없다니까요.]

호들갑 떠는 쇼호스트의 말을 들으며 작가들이 넘겨주는 검은색 복장을 걸쳤다.

기본적으로 큰 덩치에 목에 흉터까지 있는 내가 시커먼 옷까지 걸치자 누가 봐도 수상한 범죄자의 모습이다.

"이제 대기해 주세요."

내가 수호천사에서 하는 알바는 일종의 스턴트였다.

다만 일반적인 스턴트와 다른 게 있으니, 영화나 드라마를 위해 합을 맞춘 액션을 펼치는 것이 아니라 호신용 장비의 성능을 보여 주기 위한 견본이라는 점이다.

"자, 출발해 주세요!"

작가의 말에 따라 카메라 앞으로 나선다. 예쁘장한 외모의 여인이 날 보고 겁먹은 표정을 짓는다.

"누, 누구세요?"

물론 연기다. 어설프기 짝이 없었다.

"잠깐 나랑 어디 좀 가지."

"시, 싫어요!"

"떠들지 말고 빨리 따라와."

"누구신데 따라오라 마라에요?"

굳이 힘들게 연기하지 않는다. 나는 굳이 말하면 재연배우에 불과하니 연기력을 크게 지적받지 않는 역할인 것!

때문에 그냥 좀 인상을 찡그리며 으르렁거리기만 했다.

"……말대꾸를 해?"

"……!"

그냥 일상적인 말. 하지만 어쩐 일인지, 지금껏 어설픈 연기를 하던 여인의 얼굴이 실감 나게 창백해진다.

"오, 오지 마! 이거 쏜다!"

'아니 뭐라는 거야?'

바로 쐈어야 할 타이밍인데 대본에도 없는 대사를 읊고 있다.

'이거 설마 연기 욕심인가? 가지가지하네. 진짜.'

짜증나는 상황에 나는 얼굴을 일그러트리며 그녀를 확 압박했다.

"쏜다고? 그래! 쏴 봐!"

"꺄악!"

파앗!

순간 그녀가 끼고 있던 반지가 빛을 뿌리며 나를 향해 쏘아진다.

나는 그것을 피했다.

[그냥 맞아도 되지만 되도록 피해 주세요.]라는 지문 그대로의 행동이었다.

파앗!

내가 피해 낸 빛줄기가 벼락처럼 방향을 꺾어 나에게 날아든다. 나는 허리를 바짝 숙여 또다시 피했다.

파앗!

또다시 꺾는다. 나는 오른쪽으로 튕겨 피해 냈다.

파앗! 파앗!

빛의 움직임이 점점 격해진다. 나는 최대한 피했다. 되도록 피해 달라고 했으니까.

그러나 어느 순간.

'어? 또 피해야 하나?'

여덟 번째까지는 피했으나 아홉 번째는 애매하다. 피할 수는 있다. 그러나 내 전투 경험 혹은 반사 신경을 통해 피해 낸 여덟 번과 다르게 이번은 전투 예지로 인식한 공격.

카메라 앞에서 전투 예지까지 드러내긴 좀 그랬기에 바로 피하는 대신 고개를 돌려 빛줄기를 파악하려 했고—

퍼억!

"윽!"

신음을 토했다. 사실은 연기였다. 내가 미리 입고 나온 방호복이 대부분의 충격을 막아 주었기 때문이다.

물론 통증이 전혀 없는 것은 아니다. 방탄복을 입어도 총을 맞으면 아픈 것과 같다.

쩌저적!

마력이 휘몰아치더니 강철의 사슬이 온몸을 휘감는다. 나는 그대로 포박되어 바닥을 굴렀다.

[신고가 완료되었습니다. 10초 후 전투 경찰이 소환됩니다. 9. 8. 7…….]

팟!

공간이 갈라지며 유니폼을 입은 늘씬한 몸매의 경찰이 모습을 드러낸다.

"안녕하세요! 시민과 함께하는 경찰! 경찰특공대 전투 경찰 송하나입니다!"

상큼하게 등장하는 그녀의 모습에 웃는다.

누가 저 모습을 보고 혼자서 암흑가를 다 박살 낼 수 있는 전투 경찰이라 생각하겠는가?

심지어 구면이다.

'전에 그 개주인이잖아?'

식당에 개를 끌고 왔다가 정의신의 사도와 티격태격했던 녀석이다. 마스터급 강자이길래 뭐 하는 녀석인가 했더니 경찰이었던 모양이다.

"테스트 마쳤으니 저는 들어가겠습니다! 모두들 안녕!"

그녀가 사라지고 쇼호스트가 다시 마이크를 잡았다.

[전통과 역사를 가지고 있는 세이프티 링 시리즈는 그 자체로 이미 명품 액세서리이자 상급 마법기 입니다. 스턴트 분의 놀라운 움직임을 보셨죠?

저만한 운동 능력은 아무나 가지고 있는 게 아닙니다. 상당한 고위 능력자로 짐작되는데요.

그런데! 그런 분조차 세이프티 링의 포박 주문을 피해 낼 수는 없었습니다! 우리의 안전을 지켜 주는 최선의 수단이라는 것이죠.

이번 세이프티 332의 세부 재원은 다음과 같습니다. 그리고 이 모든 게……]

사슬에 포박당한 채 설명을 듣는다.

이게 새로 얻은 일이다.

사실 지원자가 그리 많지 않은 일이라고 한다. 아무리 방호복이 몸을 지켜 줘도 단지 중상을 막을 뿐, 타격을 완전히 없애 버릴 수는 없기 때문이다.

심지어 수호천사에서 판매하는 호신 물품들은 하나같이 최고급품이기에 일반인이 잘못 맞으면 목숨이 위험할 수도 있었다.

"수고하셨습니다!"

오후 3시. 나는 3건의 촬영을 마치고 정산을 받았다.

벌이는 100만 원씩 3건. 300만 원이다. 심지어 일요일에 2건이 추가로 예약되어 있다.

'좋은데?'

멍이 좀 들었지만 이 정도는 고급 송편만 먹어도 낫는다. 주말밖에 할 수 없는 일이지만 이 정도 벌이면 정예병들에게 펫을 나눠 주는 것도 가능해 보였다.

"형님! 잘 끝냈어요? 으…… 바닥에서 굴러서 허리가 너무 아파요. 난 연기를 해야 하는데 스턴트라니……."

쪼르르 달려와 불평을 토하는 창식의 모습에 생각한다.

'고액 알바라기에 무슨 범죄 같은 일일 줄 알았는데.'

그러나 녀석이 물어 온 일은 상상 이상으로 건전한 일이었다. 몇 번이고 아티펙트에 얻어맞아야 한다는 점에서 체면을 구기는 일이지만 벌이가 괜찮아서 아주 만족이다.

"너도 잘 끝났냐?"

"스턴트도 하고 스태프들도 좀 도와주다 왔어요. 아, PD님들 진짜…… 자리 날 것 같다, 날 것 같다 맨날 희망 고문만 하고…… 어?"

불평하던 창식이 문득 한 곳에 시선을 고정했다.

순간 의아함이 들어 나 또한 고개를 돌렸다.

그곳에, 곰이 있었다.

'뭐야, 스마트 펫? 이 정도로 큰 건 처음 보는군.'

일반인들이 쓸 사이즈는 아니다. 너무 커서 차에 태우기도 어렵고 질량이 커지면 텔레포트 비용도 커지기 때문이다.

용도를 파악하기는 그리 어렵지 않았다.

'방송 장비네, 굳이 저런 형태인 건 야외 촬영용인 모양이고.'

과연 곰 앞에는 세 명의 사내가 모여 떠들고 있다.

"자자. 여기 시청자 분들한테 안녕하세요, 형님. 이라고 해. 안녕하세요! 오늘 촬영하러 더원 채널에 방문했는데요."

"어우 사람 너무 많아요. 공황장애 오겠네……."

"오늘 날씨 되게 좋다. 이런 날 바벨이나 들어야 하는데."

"야, 달풍선 쏴 달라고 해 봐, 달풍선."

"근데 지금 방송하고 있을 시간 아니지 않아요? 마감이 금방인데."

세 명이 말을 뱉어 내는데 단 하나도 [대화]로써 기능하지 않는다.

그냥 각자 할 말만 하는 집단적 독백 상태.

그 모습을 보던 창식이 앓는 소리를 낸다.

"으. 방송 완전 대충하는 거 같은데 구독자가 500만이야…… 부럽다, 진짜."

"유명한 사람들이야? 개그맨?"

"네? 저 사람들 몰라요? 베스트셀러 소설가 아문센이랑 소년 만화가 주력인 스트롱 소드, 개그 전문인 폭소맨이잖아요."

"몰라. 그렇게 인기가 있어?"

안타깝게도 듣도 보도 못한 녀석들이다. 애초에 관련해서 별로 관심이 없어 그런 모양. 창식이 뜨악한 표정을 짓는다.

"아니 형님, 평소에 대체 뭐 하고 살아요? 저래 보여도 대형 포탈이나 플랫폼에서 1위를 도맡아서 하는 작가들이에요."

"흐음. 인기 있나 보네."

당연한 말이지만 관심 없는 주제였다. 이제 와서 인기 소설가나 만화가 따위가 나랑 무슨 관계가 있겠는가?

그러나 녀석의 다음 말에는 고개가 절로 돌아간다.

"인기 있죠. 저작권으로만 한 달에 10억 넘게 번다는데."

"뭐…… 라고?"

깜짝 놀란다.

아니 얼마라고?

"뭐, 인기 소설가나 만화가는 엔간한 연예인보다 훨씬 많이 버니까요. 얼마나 인기가 있는지 스트리머나 예능으로도 인기를 끌어서 인터넷 방송은 물론이고 메인 채널에도 툭 하면 나올 정도라는 게 문제예요. 으으. 진짜 부럽다."

창식이 이런저런 말을 했지만 이후의 말은 하나도 들리지 않았다.

오직 하나의 단어만 메아리처럼 귓가를 울린다.

'한 달에 10억. 한 달에 10억…….'

하루 24시간. 한 달 내내 일해서 1,000만원을 벌던 내 100배의 수익이다. 게다가 '저작권으로만'이라면 더 번다는 말이 아닌가?

내게 그만한 수익이 주어진다면 어떨까?

'소드 마스터랑 일대일로 비빌 수 있는 기사 100명도 찍어 낼 수 있다.'

이건 다른 부자들을 볼 때랑 전혀 다른 느낌이다. 그들의 재산을 되짚어가면 거의 100% 확률로 어르신의 재산을 물려받은 결과거나 최소한 지원이라도 받은 결과이기 때문이다.

그러나 그들은 말 그대로 아무것도 없이 지금의 수익을 만들어 낸 것이다.

"저기 형님? 왜 이렇게 넋이 나갔어요?"

"아, 그냥 피곤해서."

"하긴 좀 그렇죠? 으으. 형님한테 소개시켜 줄 겸 한

나도 이렇게 몸이 쑤시니, 뭐."

그렇게 말하며 대기실을 빠져나온다.

그리고 그러다가 마주 오던 한 무리의 사람을 마주친다.

"오! 스칼렛 누나! 방송하러 왔어요?"

"그렇지 뭐. 그런데 너는 왜…… 헉?"

여상하게 창식의 말을 받던 스칼렛이 나를 보고 깜짝 놀라 발을 멈춘다. 그런 그녀의 움직임에 그녀를 따르던 매니저와 카메라맨. 스타일리스트와 메이크업 아티스트까지 발을 멈췄다.

"어? 왜 그래요?"

"아, 아니. 근데 저분은 그 바운서 분 아니야? 왜 여기 계셔?"

"제가 방송국에 인맥이 좀 있잖아요! 알바 소개시켜 드렸어요."

"아니 방송국에서 알바를? 은거하려던 거 아니었나……."

뒷말은 거의 읊조리는 수준이었지만 예민한 내 귀를 피해 갈 정도는 아니었다.

'일단 네가 내 말을 하나도 안 믿었다는 건 알겠다.'

그러거나 말거나 스칼렛은 당황했던 표정을 고치고 환하게 웃었다.

"하여튼 안녕하세요! 여기서 뵙게 될지 몰라서 당황했

네요."

"아, 네. DJ만 하시는 줄 알았는데 촬영도 하시는 모양이네요."

"뭐, 그냥 방송인 수준이지만요. 하, 하여튼 전 이만 가볼게요! 수고하세요!"

"네."

여상하게 고개를 끄덕이고 갈 길을 간다. 뒤에서 '언니? 누군데 이렇게 뻣뻣하게 굴어요?'라던가 '오오오! 언니 혹시?' 같은 헛소리들이 들려왔지만 전혀 신경 쓰이지 않는다.

'10억.'

내 머릿속엔 오직 그것뿐이었다.

'한 달에 10억.'

물론, 나도 알고 있다.

예술이라는 건 함부로 발을 들이밀 영역이 아니다.

수많은 지망생들과 천재, 노력가들이 가득한 판에 단순히 돈 많이 번다는 말만 듣고 들어가서 무엇을 이룰 수 있겠는가?

'하물며 나는 그쪽에 관심도 없어.'

만화를 그리고 소설을 쓰기는커녕 읽어 본 적도 별로 없다. 인풋이 없는데 아웃풋이 없는 것은 너무도 당연한 이야기.

그러나 방법은 있었다.

'베끼면 돼.'

아르데니아에도 문화란 것이 존재한다. 소설 역시 당연히 있었다. 기사 소설, 연애 소설, 전쟁 소설 등등.

'물론 인기는 없겠지.'

당연한 일이다. 현대에 중세 희곡을 팔아먹겠다는 것이나 다름없는 짓거리 아닌가? 중세 랜드의 작품들이 온갖 놀이 문화에 익숙해진 현대인들에게 먹히길 바라는 게 도둑놈 심보였다.

'하지만 그래도…… 소수 취향이란 게 있을 거야. 그리고 무엇보다.'

내겐 다른 작가들이 따라올 수 없는 나름의 강점이 있었다.

'양으로 승부하면 된다.'

작정하고 베끼면 하루에 몇 권도 쓸 수 있다. 아르데니아의 작품을 읽는 최소한의 독자만 확보해도 상당한 수익이 생기는 것!

물론…… 그 '최소한의' 독자도 확보하지 못해 망작만을 무수히 양산하는 경우의 수도 있겠지만.

'어차피 돈 드는 것도 아니니.'

문명의 수준이 낮다고 해도 아르데니아는 판타지 세상. 거기서 써지는 소설들은 나름대로 정통 판타지라 할 수 있지 않겠는가?

서사를 중시하는 아르데니아의 글들은, 따분하고 지루하긴 해도 좋아하는 독자가 있을 것이다.

삐비빅!

원룸으로 돌아와 PC를 켠다. '소설 볼 만한 곳'이라고 치니 무수하게 뜨는 플랫폼들을 살피며 아르데니아에 대해 생각한다.

정확히는 소설책이 많을 법한 장소에 대해서.

'가장 가까운 곳은 크롬 왕궁의 수도에 있는 왕실 도서관. 그리고 수레바퀴 마탑인가.'

크롬 왕국은 딱히 문화가 발달한 나라가 아니었지만 그래도 한 나라의 수도쯤 되면 장서의 양이 무시할 수 없는 수준.

문제는 게이트가 열리고 몬스터가 쏟아져 나온 작금의 상황에 그 책들이 무사할 수 있냐는 것이다.

심지어 크롬 왕국의 수도 지마일의 위치는 우상귀 화점.

[특별]한 공략이 필요한 장소다.

'뭐, 결국 점령해야 할 장소긴 하지.'

나는 리벤지 홈페이지를 켜 던전 정보를 확인했다.

[얼음 여왕의 낙원(고급~영웅)].

던전의 등급 자체는 오크 던전과 똑같지만 그렇다고 정말 동급인 것은 아니다. 그것은 화점에 서식하는 몬스터들의 특징 때문이다.

'냉기 저항이 없으면 클리어가 불가능하다.'

그뿐이 아니라 [화점]의 던전들은 헬 난이도에 도전하기 위해 추가적인 조건이 필요하다.

'스페셜 레이드를 해야 해.'

똑같이 영웅 등급 몬스터라도 일반과 엘리트는 다르고 보스는 또 다르다.

그리고.

레이드 보스는 차원이 다르다. 화점마다 존재하는 스페셜 보스는 더더욱 그러하다.

'아직은 점령할 상황이 안 돼.'

화점은커녕 내 영지도 되찾지 못하는 상황.

그렇기에 일차적인 목표는 서적을 훔쳐오는 것으로 정했다.

"그나저나 오랜만에 여유롭네."

자동 사냥을 돌려 두자, 오랜만에 할 일이 없었다.

방송국에서 스턴트를 한 것만으로 오늘의 일정이 끝났기 때문이다.

"……그래. 이참에 밀린 메인 퀘스트나 쭉 밀어 두자."

킬리언스에서 킬리언스포까지 모두 39레벨.

정말 레벨 뒤지게 안 오른다.

'하긴. 이 레벨에 아직도 일반 하고 고급 사냥터에서 놀고 있으니.'

게다가 좀 괜찮은 아이템이 생기면 죄다 아르데니아로 보내고 있으니 사냥 속도도 엉망.

아르데니아의 나는 점점 컬렉션도 추가되고 레벨도 오르는데 비해 게임 속 캐릭터는 바뀌는 게 없다. 사실상 무과금 이하의 캐릭터라고 할 수 있겠다.

"나머지 네 캐릭터는 굳이 키울 필요 없겠지."

킬리언스파이브부터 에잇까지는 그저 송편들을 보관하기 위해 만든 캐릭터들이다.

원래대로라면 인벤토리가 꽉 찰 때마다 아르데니아에서 비우기 때문에 상관없었는데 칸 슬래셔와 싸우는 동안은 그럴 수가 없어 캐시템 [캐릭터 슬롯 확장]을 구매해 늘렸던 캐릭터들.

카인 : 놀 유격병들이 요새 소란이야. 150마리만 잡아줄래?

센슨 : 리자드맨 창병들이 마을을 습격했어! 200마리만 잡아 줘!

돌체 : 사악한 언데드를 무찔러야 하네! 스켈레톤 워리어 300마리를…….

"아, 노가다 진짜. 뭔 퀘스트들이 이렇게 성의가 없나!"

투덜거리며 밀린 메인 퀘스트를 쭉 밀었다. 잡느라 포션 값이 더 나오는 비효율적인 사냥이었지만 퀘스트 자체가 목표였던 만큼 감수하고 진행한다.

그리고 그 보상으로 골드와 경험치. 그리고 클래스 소환권을 획득한다.

"뭐 나오려나. 아니 뭐 여기서는 잘 나와도 문제지."

내가 리벤지의 아이템을 가져가는 데는 조건이 필요하다. 내가 가져오려는 리벤지의 아이템이 [삭제] 판정되어야 한다는 것.

어차피 복사도 되는 데이터 주제 왜 이런 제한이 있는지 알 수 없지만 하여튼 불가능하다.

만약 아이템을 가져오는 데 조건이 없었다면 메인 퀘스트 중 잠시 맡게 되는 [왕검 아스갈드(전설)]라든가 [수호의 여신상(전설)]을 아르데니아 쪽에서 꺼내 버렸겠지.

즉.

퀘스트 보상으로 받은 클래스 소환권은 삭제가 불가능하고.

혹시라도 여기에서 영웅급 직업이라도 나오게 된다면……!

소드맨(일반), 위저드(일반)……

번쩍!

아이언 실더(고급)! 하이 아처(고급)!

"참."

나는 웃었다.

"쓸데없는 걱정을 하였구나……."

고개를 절레절레 흔들며 메인 퀘스트를 마쳤다. 연계 퀘스트가 떴지만 40의 레벨 제한이 있기에 진행이 불가능하다.

"뭐, 그래도 클래스 소환권 4장 중 2장이 고급이면 꽤 괜찮은 편이라고 해야 하나? 퀘스트 보상으로 나오는 클래스 소환권은 확률이 더 높다더니 정말인 모…… 저게 뭐야?"

화점에 위치한 전설 등급의 성. [엘사의 얼음왕국]에서 메인 스토리 보상을 받고 있던 내 눈에 중앙 광장에서 춤을 추는 플레이어들의 모습이 보였다.

한두 명이 아니다. 족히 100명…… 아니 200명은 되었다.

그들의 머리 위에는 이런 글자가 쓰여 있다.

[길마님 전설 스킬 득 기원의 춤]

"저게 뭐야?"

나는 마우스를 움직여 춤추는 플레이어들에게 다가갔다.

킬리언스 : 지금 뭐 하고 계신 거예요?
북북노인 : 길마님을 위한 기원의 댄스!
킬리언스 : 뭘 기원하는데요?
북북노인 : 직접 보세요!

그의 말에 중앙 광장에 서 있는 플레이어를 본다. 가만히 지켜보니 캐릭터 머리 위로 화면이 떠오른다.

그가 인터넷 방송 중이라는 의미였다.

[아…… 또 실패네요. 다시 보물 상자 100개 깐 다음 스킬 상자 제작으로 들어갈게요. 잠시 다이아 결제 좀 하고……]

'아, 그렇군. 저 길드 마스터가…… 상자를 까고 있다.'

스킬북을 획득하는 방법은 3가지다.

'첫 번째는 몬스터 드랍.'

가장 의미 없는 보기다. 이젠 말하기 입 아프지만 리벤지는 희귀급이 드랍되도 월드 메시지가 뜨는 게임이다. 그런데 드랍으로 영웅, 전설을 기대한다? 욕심이 과하다고 할 수 있겠지.

'물론…… 드랍이 안 되는 건 아니야.'

드랍 테이블에는 분명 존재한다. 영웅, 전설급은 물론이고 신화템까지. 분명 있기는 하다!

그러나 그 확률은 거의 없다고 해도 무방한 수준.

그 많은 플레이어들이 자동 사냥을 돌리고 있음에도 드랍되는 전설급 스킬북은 리벤지 전체를 통틀어 1년에 한두 개에 불과하다.

그마저도 대부분 레이드 보스가 떨군 것이다.

'두 번째는 제작이다.'

마력이 깃든 양피지와 마력이 깃든 잉크를 재료로 스킬북을 제작할 수 있다.

문제는 양피지와 잉크도 결국 드랍템이라는 사실이다. 완제품보다야 당연히 잘 드랍되지만, 대신 제작에는 막대한 골드가 들어가며 실패 확률까지 있다.

'그리고 세 번째는 여신의 보물 상자.'

더 길게 말해 무엇 하리오.

그렇다. '뽑기'이다.

[자, 다시 갑니다!]

나는 자동 사냥을 돌리는 것도 잊고 방송을 지켜보았다.

뾰로롱! 롱! 롱롱!

상자 100개가 주르륵 열리고 스킬 비석이 떨어진다. 대부분 1개였지만 간혹 2개가 떨어질 때도 있다.

[한 번 리스할게요.]

캐릭터가 사라지더니 바로 다시 나타났다.

킬리언스 : 아니 왜 껐다 키시죠?
북북노인 : 껐다 키면 더 잘 성공한데요.
킬리언스 : ……

나는 춤을 추고 있는 플레이어들을 다시 돌아보았다.

[길마님 전설 스킬 득 기원의 춤]
[최강마초 김마초!]
[우유빛깔 김마초!]
[길마님 전설 뜰 때까지 숨 참음]

"아…… 그런가."

확률의 세계다. 더 애쓴다고 나아지는 게 있을 리 없으니 미신으로 갈 수밖에 없겠지.

[자, 스킬 제작 들어갑니다…… 아 제발. 두 번 안에 떠야 한다……]

나는 방송으로 보면서 새 창을 띄워 보물 상자의 가격을 확인했다.

'800다이아.'

8만 원이다. 스킬 제작에는 스킬 비석이 10개 들어가고 보통 100개 정도 까면 110개 정도 나온다고 한다. 성공 확률은 5%.

계산을 단순화시켜 보면, 스킬 제작에 한 번 도전하는 데에 80만 원 정도의 자금이 들어가고 '보통' 20번 정도에 성공한다.

즉.

"와…… 스킬 하나에 1,600만 원이라고? 아무리 전설이라지만……."

[아! 이제 정말 슬슬 나올 때 됐다. 아! 이번에는 진짜입니다. 여러분…… 아!]

화면 속 중년 남성이 연신 신음 소리를 낸다. 유리창에 금 가는 듯한 사운드와 함께 비석이 쪼개지며 [실패]라는 글자를 만들어 낸다.

리벤지의 실패 시스템은 가혹하다.

일단 실패를 하면 아무것도 남지 않는, 뭔가를 얻으려고 1억 원을 써도 결과가 실패라면 과금을 1원도 하지 않은 플레이어와 완전히 똑같은 입장이 되어 버리는 승자독식의 구조!

그러나 끊임없는 시도는 결국 결과를 내기 마련이다.

[으아아아아아! 떴다! 떴다! 감사합니다! 감사합니다! 928만 원 만에 쉐도우 트와이스 획득에 성공! 했습니다! 역시 난 금손이라니까!?]

화면 속 사내가 환호성을 지르고 모여 있던 길드원들도 폭죽을 터트리고 팡파레를 울리며 축하한다.

[길마님 전설 스킬 득 기념 축하의 춤]

"와. 천만 원을 스킬 하나에 쏟아 넣고 감사하다고 하네……."

기막혀 하는 사이, 멀리서 한 무리의 플레이어들이 몰려온다.

파크라이 : 전설 스킬 득 축하드려요! 이제 저희 길마님

하실게요.

김마초 : 하하하! 네! 득템하세요!

모여서 춤추고 있던 플레이어들이 우르르 빠지고 비슷한 숫자의 플레이어들이 들어온다.

나는 물었다.

킬리언스 : 저 사람들은 왜 여기로 들어와요? 여기서 강화하면 뭐가 달라요?

북북노인 : 여기가 명당이거든요! 마도지존님이 여기서 신화 클래스를 뽑았데요! 앗! 길마님이 저녁 회식이래서 전 가 볼게요!

킬리언스 : 아 네……

북북노인이 떠나간다. 그리고 새로 들어온 플레이어 가 머리 위로 팻말을 띄웠다.

[길마님 전설 클래스 득 기원의 춤]

"……."

어이가 없어서 그 모습을 잠시 지켜보다 스킬명을 검색한다.

"어디보자…… 쉐도우 트와이스였지?"

결과는 바로 나온다.

[쉐도우 트와이스 (전설)(패시브)]

치명타, 혹은 확정타, 혹은 최대 타격, 혹은 반격, 혹은 상태 이상 공격(기절, 실명, 침묵, 화상, 슬로우 등) 성공 시 1초 뒤에 동일한 데미지가 들어간다.

그리고 또 3초 뒤에 두 공격을 합친 만큼의 데미지가 다시 들어간다.

"……."

잠시 어이가 없어서 스킬 설명을 가만히 들여다본다. 그러나 아무리 봐도 텍스트가 바뀌는 일은 없었다.

"아니 이런…… 미친 거 아냐? 이게 패시브라고?"

심지어 전사 공용 스킬이다. 직업에 상관없이 근접 직업이면 다 익히 수 있다는 말.

세상에, 스킬 판정 좀 봐라.

너무나 관대하다.

"아니 대체……. '혹은'이 대체 몇 번이나 들어가는 거야? 아니 아무리 전설 등급이어도 그렇지 이런 스킬을 만드나?"

개발사를 욕하면서도 스킬 설명에서 눈을 뗄 수가 없다.

1초 뒤에 동일한 데미지.

그리고 또 3초 뒤에 두 공격을 합친 만큼의 데미지.

보고보고 또 봐도 미친 효과다.

“와…… 진짜 돈 많이 벌어야겠네.”

이건 사야 한다.

“당장 움직여야겠다. 크롬 왕국 수도뿐 아니라 갈 수 있는 곳은 다 가 봐야겠어.”

물론 쉽지 않은 일이다. 던전과 던전 사이의 거리는 백 킬로미터나 되니까.

그러나 방법이 없는 건 아니다.

“오늘 번 돈…… 오늘 다 쓴다.”

나는 뽑기를 시작했다. 물론 보물 상자처럼 미친 과금은 아니고 비교적 효율적인 과금.

펫 뽑기였다.

뭉치(일반), 키키(일반), 덩달이(일반) ……번쩍!

명마 날파람(고급)!

찡찡이(일반), 찡찡이(일반), 뭉치(일반), 덩달이(일반).

나는 클럽과 방송국에서 받은 일당을 모조리 펫 뽑기에 쏟아 부었다. 물론 결과는 형편없다. 죄다 일반이고 아주 가끔 희귀 하나 등장하는 정도.

꼬꼬(일반), 초코(일반), 덩달이(일반) ……번쩍!

붉은 곰 그리즐리(희귀)!

그러나 언제나 그러하듯 계속 지르다 보면 결과는 나오기 마련이다.

번쩍!

터지는 빛과 함께 장난스럽게 웃고 있던 여신상의 미소가 사라진다.

'늘 느끼는 거지만 여신 저거…… 왜 잘 뜨면 정색이야?'

내가 기막혀 하거나 말거나 바닥에 떨어진 소환석이 환하게 빛난다.

구구구……!

그것을 터치하자 소환석이 깨지며 등에 안장을 매고 있는 거대한 매가 모습을 드러낸다.

-크리스털 연맹에는 오직 왕족만을 태우고 하늘을 난다는 무엇보다 빠르고 영특한 영물(靈物)에 대한 소문이 있다.

[대형 매 스카이(영웅)]

"좋아!"

리벤지에는 여러 종류의 탑승 펫이 존재한다.

가장 평범한 말부터 소, 타조, 알파카 등등 그 종류는 다양하다. 희귀급으로 넘어가면 어느 정도 전투력까지 가진 늑대, 코뿔소, 랩터 같은 것들까지.

그리고 펫의 등급이 영웅을 넘어서면 탑승 펫 중 일부에 새로운 기능이 추가된다.

바로 비행.

날아다니는 탈 것의 등장이다.

"휴. 다행히 첫 영웅이 새네."

합성밖에 답이 없는 다른 플레이어들과 다르게 클래스나 펫을 수하들에게 나눠 줄 수 있는 난, 합성을 하지 않는다. 즉 영웅급을 얻고자 한다면 무조건 뽑기 한 번에 나와야 한다는 것!

'그리고 영웅급이 뽑힐 확률은 0.1%지.'

때문에 돈을 얼마나 써야 할지 불안했는데 다행히 450만 원 안쪽으로 해결할 수 있었다. 이번에 안 나왔으면 다음 알바, 최악의 경우 다음 월급날까지 기다려야 했을 것이라는 걸 생각해 보면 천만 다행인 일.

그런데 그렇게 가슴을 쓸고 있을 때 눈앞으로 텍스트가 떠오른다.

[한 길드의 레벨이 1→2로 상승하였습니다!]

[한 길드의 최대 인원이 100→150명으로 증가합니다.]

[다음과 같은 기능들이 해금됩니다.]

[길드 출석, 길드 버프 (경험치 1%)]

[길드 상점(고급 포션)]

"아, 드디어 올랐나."

나는 성 관리 옵션창을 통해 성의 이름을 [스타팅]으로 바꿨다.

내가 차지한 첫 번째 성이라는 뜻이기도 하고 게임에 있는 스타팅의 오마주이기도 하다.

'알아볼 사람은 없겠지만.'

어쨌든 스타팅이라는 [안전지대]가 생기면서 정예병들의 경험치와 아이템 수급량이 비약적으로 높아졌다. 도시에서 쉬고 있으면 자연스럽게 여신의 가호가 쌓이기 때문이다.

물론 여신의 가호는 2단계, 그러니까 200포인트까지밖에 안 쌓이겠지만, 아예 가호가 없던 시절과 어찌 비교할 수 있겠는가?

그리고 그렇게 쌓인 여신의 가호를 던전 사냥을 통해 소모하면 길드 경험치가 쌓인다.

생각보다 오래 걸렸지만 길드 레벨이 오르는 건 확정

사항이었다.

띠링!

나는 길드 혜택 탭에서 길드 레벨이 올랐을 때 활성화되는 기능들을 확인했다.

'일반 길드 레이드는…… 길드 레벨 6. 길드원들이 본격적으로 경험치를 벌기 시작했으니 비교적 가까운 편이다.'

길드 혜택은 한두 개가 아니다. 특히 무과금 유저나 다름없는 아르데니아의 플레이어에게 길드 상점은 사막의 오아시스와 같은 존재.

출석 기능이 열려, 그저 길드원 자격을 유지하는 것만으로 명예 코인을 받을 수 있다는 게 혜택의 전부가 아니다.

진짜 혜택은 바로 길드 상점 그 자체였다.

'명예 토큰. 그러니까 코인을 쓸 수 있는 창구니까.'

코인은 [업적]을 통해서도 얻을 수 있다.

몬스터를 일정 수 이상 잡을 때마다, 골드를 일정량 이상 획득할 때마다, 레벨을 올릴 때마다, 보스 몬스터를 잡을 때마다 플레이어는 업적 보상으로 명예 코인을 얻는다.

지금까지 그 명예 코인을 쓸 수가 없었는데 이제 사용처가 생겼다.

'심지어 판매 목록이 상당하단 말이지.'

지금은 고작 포션뿐이지만 길드 레벨이 오를수록 온갖 상품이 추가된다. 강화 주문서나 순간 이동 주문서 같은 소모품은 언급할 가치가 없다.

'스킬북! 거기에 클래스 소환권!'

길드 레벨이 6이 되면 매주 일요일에 진행 가능한 일반 길드 레이드와 함께 희귀급 스킬북 9종이 추가되고 7레벨이 되면 클래스 소환권이, 8레벨이 되면 펫 소환권이 추가된다.

내가 없어도 플레이어들끼리 소환권 수급이 가능해진다는 뜻!

병사들이 많아질수록 클래스 소환권 구매 비용이 답도 안 나오는 지금 상황에 한 줄기 빛과 같은 정보다.

"아니…… 아니 잠깐만."

추가 목록을 보다 깜짝 놀란다.

"13레벨이 되면 영웅 액티브 스킬북이 추가되잖아? 심지어…… 15레벨이 되면 영웅 패시브 스킬북이라니."

심지어 15레벨에 해금되는 영웅 스킬에는 이런 게 있다.

[드레인(영웅)(패시브)]

탄탄한 체력을 바탕으로 상대를 압도하여 데미지의 일

부를 체력으로 흡수합니다.

"흡수라니."

게다가 생명력이 아니라 체력 흡수다. 그야말로 미친 듯 싸울 수 있는 발판이 마련된다는 말. 난 놀라서 공식 홈페이지를 검색한다.

때마침 질문이 있었다.

[질문]드레인 길드상점 구매 가능?

명예 코인 150만…… 현재 10만인데 이거 살 수 있을까요?

아 제 직업하고 드레인 너무 찰떡인 것 같은데 어떻게 모아 볼까요? 하루에 한 번씩 구매할 수 있는 클래스 소환권 포기하면 어떻게 가능할 거 같기도 한데……

ㄴ 개인적인 주관으로는 코인 10만 보다 길렙 15가 더 문제. ㅋㅋㅋ 리벤지 길렙 15만드는 데 2년 걸립니다 ㅋㅋㅋ 물론 한방에 상위 길드 들어가시면 문제없겠지만ㅋㅋㅋㅋ

ㄴ아 근데 상위 길드는 가입할 때 면접 본다구 ㅋㅋㅋㅋ 만나서 본다구 ㅋㅋㅋ 그것도 사무실에서 본다구 ㅋㅋ 내가 회사도 아니고 게임 때문에 이런 면접을 봐야 하나구 ㅋㅋㅋ

ㄴ길13렙 1년 내외 길15렙 2년 내외 예상합니다. 길드원 전부가 2700다이아 풀기부에 풀가호 사냥하는 분들만 모였다면야 두 달 안에 쇼부 칠 수도 있겠지만요.

(포인트획득으로 두당 1~2천만 원 쓰면 15렙 가능할 듯 물론 예상입니다)

ㄴ진짜 코인은 어떻게 되겠지만⋯⋯ 길랩은 답이 없는 듯⋯⋯

ㄴ가질 수 없는 너 같은 존재인 건가 ㅜ_ㅜ

"아, 젠장."

잠시 벅차올랐던 가슴이 짜게 식는다. 길드 레벨을 올리는 게 상상 이상으로 힘든 모양이다.

"아니 길드원 전부가 두당 1~2천만 원씩 쓰라니 이게 말이야 방구야. 내 길드원들 다 무과금이거든!?"

투덜거리며 길드창을 닫는다.

"에휴, 더 봐야 속만 타지. 나머지 상태나 봐야겠다."

천장을 박차 날아오른다. 그대로 지붕과 지붕 사이를 달려 영지를 둘러보기 시작한다.

먼저 도착한 곳은 영지의 북쪽에 있는 연무장이었다.

"하나."

"합!"

"하나."

"합!"

소드맨이 오백 정도의 병사들을 훈련시키고 있는 모습이 보인다.

날카로운 목소리로 병사들을 호령하는 소드맨의 몸 주위로 청색 아지랑이가 피어오르고 있다.

'오러를 각성했다.'

그저 재능이 모자라 오러를 다루지 못했을 뿐, 소드맨은 천룡검공(天龍劍功)을 10년 이상 수련한 검사.

이제 천룡검공을 완전히 숙지하고 있던 상태에서 클래스를 얻고 스텟을 찍어 마나량이 늘어났으니 오러를 각성하는 것은 어쩌면 자연스러운 일이었다.

나는 다시 발걸음을 옮겨 북동쪽에 있는 대형 저택으로 이동했다.

"집중! 운기를 멈추지 마라! 기운을 한 바퀴 다 돌리지 못하면 안 하느니만 못한 결과가 나온다!"

헌드레드가 30명 정도의 정예병들을 교육하고 있다. 지금은 경계에 나가 있지만 스틸스톤 역시 비슷한 수의 정예병들을 교육하고 있는 것이다.

발걸음을 옮겨 도시의 동쪽에 위치한 건물 중 하나로 이동한다.

그 안에서는 스마일이 비교적 어린 학생들을 가르치고 있다.

"마력의 응집이 가장 중요합니다. 여러분! 아아, 이 머저리 천치 같은 여러분! 저 수련하러 거야 합니다! 제발 빨리 좀…… 오! 노트! 성공했군요! 와아! 모두 박수 세 번 시작! 노트 당신은 머저리 천치에서 머저리로 승격시켜 드리겠습니다."

항상 싱글거리는 모습만 봐 와서 몰랐는데 상당한 독설가. 학생들이 땀을 뻘뻘 흘리며 서클링을 연마하는 모습이 보인다.

'뭐, 그래도 잘 가르치고 있네.'

나는 스틸스톤과 헌드레드에게 쾌진공(快進功)을, 스마일에게 패스트 쓰리(Fast three)학파의 서클링을 전해주었다.

이 두 수련법에는 공통점이 있다.

'인스턴트.'

무공의 경지를 올린다는 것은 고통스러운 일이다.

구결을 외워야 하는 건 물론이고 육체도 단련해야 한다.

'사실 이것만 해도 어려운 일이지.'

살 빼자.

그렇게 결심은 누구나 할 수 있다. 하지만 빼야 할 체중이 50킬로그램쯤 된다면? 생체력을 익힌 게 아닌 이상 정말 그 살을 뺄 수 있는 사람이 세상에 얼마나 되겠는가?

목표를 정해 온갖 유혹을 이겨 내고 그것을 달성해 내는 사람이란, 이미 [보통] 사람이라고 할 수 없다.

하물며 경지를 올리는 일은 어떠한가?

영능의 단련은 초월을 향해 달려가는 길이다. 인간으로 태어나 인간을 벗어난 존재. 신적인 무언가로 거듭나는 과정이 바로 경지의 상승.

무공의 경지를 올리려면 남들이 잘 때 죽어라 운기해야 하고 친구를 만나 노는 대신 죽음을 각오한 전투를 벌여야 한다. 게임을 하거나 TV를 보는 대신 끝도 없이 무학에 대해 궁구(窮究)해야 함은 물론이다.

그 난이도는 100kg의 몸무게를 가진 이가 50kg을 감량하는 것보다 더 힘난하다. 그 정도는 웃으며 할 수 있을 정도의 독심이 없다면 완성자의 경지는커녕 전문가 경지도 노리기 어렵다.

오직 향상심에 미친 자들만이 고위 능력자가 될 수 있다는 말이다.

'하지만 보통 사람들은 그럴 수 없지.'

겨우 새끼발가락을 찧었다고 비명을 지르는 게 보통 사람이다.

극기(克己)는커녕 하루 10시간도 집중해 공부하지 못하고 일주일에 100시간씩 일하면 육체는 물론이고 정신까지 나가 버리는 나약한 이들.

때문에 유수한 석학들과 이능력자들은 긴 연구 끝에 그들을 위한 영능을 개발했다.

인스턴트(instant).

쾌진공과 패스트 쓰리가 바로 그것이다. 무공으로 치면 사공(邪功)의 정점에 위치한 수련법.

쾌진공을 익히면 엄청난 기세로 내공이 불어나고 내공의 수발도 금세 익숙해진다. 그때 쾌진공의 성장 속도는 그 어떤 신공절학도 따라갈 수가 없다.

영능에 입문도 못했던 초등학생이 2년 만에 이류 무사, 그러니까 오러 유저까지 성장할 정도인 것이다. 그것도 갓 들어선 정도가 오러 유저 중에서도 상급의. 그러니까 오러 익스퍼트 직전 수준!

'그러나 대신…… 거기가 끝이다.'

쾌진공 수련자는 영원히 이류에서 벗어날 수 없다. 애초에 [그런] 무공이다. 일반인들이 그다지 재능도 없고 시간도 없어도 어느 정도의 이능을 사용할 수 있게 해 주는 수련법이 바로 인스턴트였으니까.

마찬가지로 패스트 쓰리 역시 그 어떤 수련법보다 빨리 3클래스까지 성장할 수 있지만 3클래스에서 마나 서클이 안정되어 더 이상의 성장이 불가능해진다.

보통 상승의 경지에 뜻이 없는 마법사들이 많이 익힌다. 공장 노동자로 일하는 마법사들은 대부분 패스트 쓰리 학파의 수련자라고 할 수 있다.

내가 4클래스를 찍은 세한이를 보고 놀란 이유가 그것이다. 3클래스 마법사와 4클래스 마법사는 완전히 다른 길을 걷는 존재였으니까.

사담이지만 5클래스 역시 완전히 다른 존재다. 대부분의 마법사들이 걸려 고꾸라지는 [벽]을 넘어섰다는 의미이기 때문이다.

'하지만 인스턴트라 해도 제대로 다루려면 몇 개월 이상은 걸린다.'

즉, 지금은 군세를 일으키기보다 내실을 다져야 할 때다.

병사들의 평균 레벨이 30을 넘기고 전원이 고급 장비, 스킬 등으로 무장. 거기에 더해 스스로 마나를 다룰 역량을 얻어 냈을 때 비로소 세상 어디에서도 볼 수 없는 강력한 군세가 탄생하리라.

그렇다면.

"지금이 바로 타이밍인가……."

고개를 끄덕이고 다시 영지성으로 돌아가며 생각했다.

'이 기회에 외곽에 있는 던전들을 다 털어 버려야겠다.'

대형 매 스카이가 있으니 충분히 가능한 일이리라.

나는 간부들을 소집했다.

"현재 영지민 구성이 어떻게 되지?"

그 말에 소드맨이 몇 장의 귀환 주문서를 꺼내든다.

어디 마을로 돌아가려고 하는 것은 당연히 아니고 뒷장을 메모지로 쓰고 있는 물건이다.

자칫 스크롤을 찢었다가는 중앙 광장으로 날아가 버리게 되는데다가 내용을 적었던 스크롤이 사라지기까지 하는 위험이 존재했지만, 안타깝게도 성에 기록을 할 만한 자원이 많지 않아 사용하고 있는 중이었다.

"성안에서 구출했던 여인들과 성의 모습을 발견하고 다가온 피난민들을 받아들인 결과 총원이 3,471명까지 늘어났습니다."

"정예병은?"

"꾸준히 늘어 현재 1,153명입니다."

엄청난 숫자. 당연하지만 그들 모두가 다 돈이다.

'클래스 소환권을 사는 데 쓴 돈만 쳐도 이미 1,500만 원 이상이지.'

그렇게 뽑다 보니 영웅급도 2개 나왔지만 다 컬렉션에 등록되어서 누구에게 하사할 수는 없었다.

"쾌진공 교육 상황은 어떻지?"

먼저 헌드레드가 답한다.

"현재 서른다섯 명을 교육 중입니다. 스텟 포인트 중 일부를 마나로 돌리고 배틀 크라이를 반복해서 사용하게 하니 확실히 효과가 있더군요. 아홉 명이나 마나 감지에 성공해 운기를 시작했습니다."

스틸스톤도 말한다.

“정예병 이십을 교육 중입니다. 흠 그리고…… 추가로 여성들 중에서 마흔셋을 교육 중입니다.”

“여성들을?”

“물론 그들은 정예병 스무 명처럼 전속 교육을 하는 것은 아니고 해가 지고 세 시간씩만 교육하고 있습니다.”

스틸스톤의 말에 헌드레드와 스마일은 물론이고 플라워까지 의외라는 표정을 지었다.

그들을 대신해 물었다.

“지원자면 다 받은 건가?”

물론 그 질문은 다른 간부들이 예상한 질문이 아니었을 것이다. ‘왜 여자를?’이 그들이 생각한 질문이었겠지.

그러나 나는 안다.

‘어차피 오러를 깨우치면 남녀의 구분은 무의미하다. 심지어 클래스 카드까지 있다면 더더욱 그렇지.’

신체 능력에서 남자와 여자는 도저히 좁힐 수 없는 차이를 가지지만 오러는 그렇지 않다. 어떤 면에서는 여자가 더 유리한 부분도 있었다.

“아닙니다. 지원자는 훨씬 많았지요. 사백 명 정도 되었습니다.”

“사백 명!?”

플라워가 놀라는 소리가 들렸지만 사실 놀랄 일이 아니

다. 몬스터들의 공격에 가족들이 살해당하고 터전을 잃어버린 여인들이 힘을 갈구하게 된 것은 어쩌면 자연스러운 흐름이었으니까.

"그럼 그 400명 중 43명만 받아들인 이유는 뭐지?"

"일단 체력과 전투 센스를 확인했습니다. 그리고 이런 말씀을 드리면 좀 이상하게 들리겠지만……."

잠시 머뭇거리던 스틸스톤이 답했다.

"느낌이 오는 이들도 받아들였습니다. 잘할 수 있을 것 같은 느낌의."

"……죄송하지만, 경. 그건 정말 이상하게 들리는군요."

가만히 듣고 있던 헌드레드가 황당하다는 표정을 짓는다. 나머지 둘도 마찬가지.

그러나 나는 그 말을 이해할 수 있었다.

'신공(神功)의 힘이군.'

대우주 시대의 무공들은 대부분 긴 시간 동안 계량되고 발전되어 왔다.

누구는 3류 무공을 배웠으니 쓰레기고, 누구는 신공을 배워 천하제일이라는 것은 발달이 덜된 미개 문명에서나 있을 법한 일.

대우주 시대에는 무공 간에 격의 차이는 없다.

그저 무학이 최종적으로 추구하는 방향성과 성향의 차이가 있을 뿐.

'당장 쾌진공만 해도 그렇지.'

높은 경지를 아예 포기해 버리고 오로지 빠른 습득과 발전에 집중한 무공. 수많은 무공 중 가장 많은 수련자들에게 선택받을 정도니 그야말로 사도 무공의 극한이라 할 만하겠지.

심지어 쾌진공은 수련자의 재능도 크게 따지지 않는다. 나 같은 영적 장애인이 아닌 이상 그저 수련 시간에 차이가 있을 뿐 누구나 극한까지 단련할 수 있는 것.

반면 스틸스톤이 익힌 무공은 다르다.

'역근세수경(易筋洗隨經).'

흔히 부르길 신공절학(神功絕學). 발전된 무학의 이치를 섞어 새로이 만들어진 쾌진공과 다르게 끝없이 개선되었을지언정 그 근본을 유지하고 있는 역사와 전통의 정종 무공.

정종 무공은 웬만큼 재능 있는 자라도 사오 년 익혀서는 아무런 결과가 없다.

10년을 수련해도 토대나 닦는 정도.

그러나 그 지난한 과정을 견디고 끊임없이 수양해 나간다면…… 그는 경지의 [벽]을 어렵지 않게 부수고 끝도 없이 성장해 나간다.

초월지경을 노리기에 가장 적합한 길이라 하겠다.

"영성(靈性)이 트였군."

스틸스톤이 역근세수경을 익히기 시작한 지 어느새 15년이 넘었다.

그는 그 시간 동안 소처럼 우직하게 수련해 왔고 그 재능 역시 능히 천재라 할 만하다.

화전민 마을의 자경단원이 누가 가르치지도 않았는데 스스로 마나를 감지한다는 건 보통 일이 아닐 테니까.

'녀석이 5살, 아니, 10살부터 수련을 시작하기만 했어도 마스터의 경지에 이르렀을 거야. 아니, 사실 천룡검공을 익히기만 했어도 이미 소드 마스터였을 텐데…… 녀석은 역근세수경을 선택했지.'

그럴 만한 시기가 돼서인지 아니면 클래스 카드를 얻어서인지 모른다.

다만 확실한 것은 충분한 재능과 우직한 성격을 가지고 있던 마침내 상단전(上丹田)을 활용법을 깨우치기 시작했다는 것이다.

하늘을 보고 운명을 점칠 경지에는 이르지 못해도 상대의 영적 재능을 감지할 정도는 되는 것이다.

"영성…… 말씀이십니까?"

"그래. 지금 네가 느끼는 그 느낌. 대체로 맞을 테니, 그 느낌에 소홀하지 마라. 요새 신경 못 썼는데 알아서 잘하다니 기특하네."

칭찬을 해 주자 입꼬리가 꿈틀거린다. 천성이 소 같은

녀석이었지만, 칭찬은 고래도 춤추게 하는 법이다.

"패스트 쓰리는?"

내 말에 멍하니 있던 스마일이 화들짝 정신을 차리고는 답했다.

"똘똘한 녀석들 이십 명을 모아 교육 중입니다. 위저드 클래스로 마나를 지니게 된 덕인지 열 명이나 서클링을 만들게 되었지요. 다만 기초적인 지식이 워낙 부족해서 아직 스펠을 익힌 녀석은 없습니다."

"일단 주문 하나라도 집중해서 가르치고 최대한 학생 숫자를 늘려 봐. 마법사는 많을수록 좋으니까…… 아, 그리고."

문득 생각나는 게 있어 말한다.

"영능을 하루 만에 습득하거나 성장 속도가 심상치 않은 녀석이 있다면 교육을 중지하고 나한테 보고해라. 쾌진공과 패스트 쓰리는 뛰어난 수련법이지만 오러 유저와 3클래스 마스터라는 명확한 한계가 있다. 재능 있는 자에게는 족쇄나 다름없는 수련법이지."

"3클래스면 고위 마법사인데요……."

스마일이 황당해하거나 말거나 마무리하고 플라워를 돌아보았다.

"힐러 양성 상황은 어때?"

"여성들 중에서 지원자들을 뽑아 교육 중입니다. 저희

는 스킬을 사용하기 때문에 마나 재능보다는 수술 능력과 의학, 약초학을 기준으로 삼고 있습니다."

다행히 순조로운 모양. 나는 그녀가 관리하고 있는 다른 문제에 대해서도 물었다.

"던전에서 구출된 여인들의 상태는?"

"다행히 아무도 문제가 없습니다."

거기까지 말한 플라워가 잠시 주변을 돌아보다 조심스러운 말투로 말한다.

"……저기, 흠, 배가 불러오는 경우도 없습니다."

그녀의 말에 생각한다.

'몬스터들이 번식을 못한다는 뜻이다.'

하기야 리벤지의 몬스터는 리젠이 되는 존재니 임신이나 출산 따위를 구현했을 리가 없다.

하지만 설정상은 어떨까?

'게임에서야 생식 행위를 구현하지 않았지만…… 그건 말 그대로 게임이라 그런 거지 고블린은 생식 행위를 하지 못한다고 설정하지는 않았을 것이다.'

고블린들은 그녀들이 임신, 출산할 것이라 믿었다. 그렇지 않다면 인간 여성을 범한 후 그녀들을 죽이지도 않고 잘 모아 두지 않았을 것이다.

그러나 임신은 이루어지지 않는다.

그들은 리젠되는 존재이기 때문이다.

"뒤죽박죽이군……."

몬스터들의 의식은 [설정]으로 이루어져 있지만 실질적인 현상은 [시스템]으로 구성되어 있다.

단편적인 대사만을 읊거나 무조건 덤벼드는 리벤지의 몬스터들과 다르게 대화가 가능할 정도의 지성을 가진 몬스터들이 그 상황을 어떻게 받아들일 것인가?

나는 그 문제를 염두에 두기로 하고 지시했다.

"문제가 없다니 구획 분리를 해제하지. 그리고 소드맨."

"네, 영주님."

"정예병 백 명과 일반 병사 오백을 뽑아 북상해라. 병사는……."

"정예병을 100명만 넣는다면 병사가 500명이 되지 않습니다."

그럴 것이다. 점진적으로 병사 대부분이 클래스를 획득한 상태니까.

그러나 문제는 없다.

"새로 뽑아. 지원자라면 여자든 아이든 노인이든 상관없다. 어차피 화이트 마운틴 영지에 자리한 적은 멧돼지나 늑대 정도니까. 대신 무장은 충실하게 하고 공과를 명확하게 기록해라. 제 역할을 충분히 수행한 녀석을 클래스를 부여해 준다고 공지하고."

“지원자가 너무 많을까 걱정이군요.”

“아무리 그래도 원정이니 방해가 될 인원은 걸러야겠지. 하여튼 그들을 이끌고 북상해. 내가 먼저 가서 공성을 완료해 놓을 테니 근처에서 사람들을 모아 성안에 자리 잡게 하면 될 것이다.”

“충!”

“나머지 셋은 성에 남아 맡은 바 임무를 다하고 레벨을 최대한 올려 둬라.”

“네!”

“인재가 모자라. 우리는 굳건한 근거지를 얻은 상태니 모든 수단을 동원해 사람을 모아라.”

나는 간부들에게 이런저런 지시를 내린 뒤 자리를 파했다.

그리고 생각을 정리한다.

“그러고 보니 칸 슬래셔 녀석은 왜 안 와?”

녀석은 죽어 가며 이런 말을 했다.

–끄…… 륵. 네…… 놈…… 내가, 다시……

그 말 때문에 급하게 성도 업그레이드했고 어디 가지도 못하고 대기 중이다. 이미 한번 왔던 녀석이 다시 스타팅에 쳐들어와도 이상할 게 없다고 판단했기 때문이다.

그러나 어쩐 일인지 소식이 없다. 설마 뻥카였단 말인가?

"그런 느낌은 아니었는데."

그렇다면 짐작되는 건 두 가지다.

'죽어서 기억을 잃어버리는 바람에 여기에 와야 한다는 사실을 잊었거나, 아니면 올 수 없는 이유가 생겼던가.'

나는 간부들이 나간 영주성에서 잠시 생각을 정리하다 밖으로 나갔다.

그리고 스카이를 소환했다.

"끼익!"

날카로운 소리와 함께 모습을 드러내는 대형 매의 모습에 영지성을 지키던 병사들이 동요하는 모습이 보인다.

나는 그들에게 상황을 설명하는 대신 여상하게 말했다. 앞으로 놀랄 일이 한가득인데 일일이 설명하기도 귀찮았다.

"누가 찾으면 저녁까지는 돌아온다고 해."

"충!"

대답과 동시에 날아오른다. 방향은 남쪽이다. 병사들보다 먼저 북쪽으로, 아니어도 동쪽으로 향할 예정이었지만 아무래도 이 찝찝함을 해결해야 할 것만 같았다.

그리고 몇 시간 뒤.

나는 생각보다 쉽게 모든 걸 확인할 수 있었다.

"오~로로로로로!"

“침입자들을 죽여라!”

오크들이 몰려드는 적을 상대로 싸우고 있다.

어이없게도, 패색이 완연한 모습이다.

“저게 뭐야…….”

나는 침략자들을 보았다.

[아이스 엘리멘탈(고급)]

“몬스터가 몬스터랑 싸운다고?”

황당해하는 순간.

“물러서지 마라! 발칸 오크의 투지를 보여라!”

포효와 함께 쏟아진 검기가 몰려들던 아이스 엘리멘탈을 휩쓴다. 스카이의 등에서 땅을 내려다보니 칸 슬래셔가 오크들의 선봉에 서 엘리멘탈들을 쓸어버리는 모습이 보였다.

실로 영웅다운 기세였지만 나는 녀석보다 그 적들을 보았다.

얼음으로 이루어진 거인의 형태. 내게는 익숙한 종류의 것이다.

‘화점의 몬스터들이다.’

그러나 왜 100km넘게 떨어진 던전의 몬스터들이, 그것도 같은 몬스터를 공격하는지는 알 수 없었다.

'어? 잠깐.'

그러나 문득 떠오르는 생각이 있었다.

-아니! 왜 100킬로미터나 올라와서 지랄이야!

그렇다. 생각해 보니 이런 일은 처음이 아니다. 칸 슬래셔 역시 100km나 올라와 설쳤던 역사가 있지 않던가?

"뭐, 어쨌든 오크 녀석들은 더 걱정할 필요 없겠네."

꺼내 들었던 귀환 주문서를 다시 인벤토리에 집어넣으며 인적이 뜸한 숲을 향해 천천히 하강한다.

소드 마스터 칸 슬래셔가 스타팅에 쳐들어오지 못하는 이유가 명확해졌으니, 정찰만 하고 튀는 대신 좀 더 본격적으로 움직여도 되겠다.

"하긴 뭐."

피식.

절로 웃음이 나온다.

"지들도 털리고 있는데 쳐들어오긴 어딜 쳐들어오겠어?"

(열일하는 과금 기사 3권에서 계속)

환상이 숨쉬는 공간 파피루스 www.ipapyrus.co.kr
武王轉生
무왕전생
비가초 신무협 장편소설
스승의 복수를 위해, 강호의 평화를 위해
천하를 피로 물들이려던 혈마의 목을 베고
눈밭에 홀로 영면한 초대 무림맹주, 무왕 영호천
기나긴 시간을 넘어, 후손 영호휜의 몸으로 되살아나다!
"뭔 소리야? 동정한테 아들이고 후손이고 그런 게 어딨어!"
눈을 뜬 곳은, 그의 이름을 사칭하는 가짜 후손들의 가문과
그 뒤에서 암약하는 혈교의 음모
"원래 주인공이란 건 말이지, 늦게 등장하는 법이다."
무왕 영호천, 영호휜이 되어 다시 한번
혈교의 야망을 무너뜨린다!